DEUTSCHER BÜCHERBUND
HAMBURG · STUTTGART · MÜNCHEN

jürgen kemmler

perfektes skitraining im schnee + zuhause

Bildnachweis

Extra press 16 (9), 17 (8), 19, 101 (2), 113 (6), 115 (3),
    117, 119 (7), 121 (3), 123 (5)
Hans Lutz 91
Max Mühlberger 15, 131
Erich Reismüller 17 (1), 128
Sven Simon 10, 106 (2)
Peter Stückl 2, 6, 9, 12, 16 (3), 17 (7), 20, 21, 23, 26,
    27, 28, 29, 30, 31, 32, 33, 34, 35, 36,
    38, 39, 40, 41, 42, 43, 44, 45, 46,
    47, 48, 49, 50, 51, 52, 53, 54, 55, 56,
    57, 58, 59, 63 (6), 64 (9), 65, 66, 67,
    68, 69, 70, 71, 73, 75, 77, 79, 80, 81, 82, 83, 85 (7),
    86, 87, 89, 90 (7), 95, 97 (5), 100, 101 (6),
    102, 104 (2), 105 (5), 106 (4), 107, 108, 109 (4),
    113 (2), 115 (3), 119 (3), 121 (6), 123 (1), 135
blv Archiv sport (Foto Jürgen Kemmler) 63 (5), 64 (6),
    78, 85 (3), 90 (4), 96, 97 (5), 99, 101 (2), 103,
    104 (2), 105 (5), 109 (20), 115 (6), 124

Demonstration: Franz Bernauer, Karl Bildstein,
Helmut Drescher, Gretl Haid, Hans Hillebrand,
Evi und Jürgen Kemmler, Sepp Schwärzler,
Manfred Wocheslander

Innenaufnahmen: Studio Mole-Richardson, München

Mit Genehmigung der
BLV Verlagsgesellschaft mbH, München

Graphische Gestaltung: Hellmut Hoffmann, München

Druck: Klein & Volbert, München
Buchbinder: H. Wennberg, Leonberg/Ramtel

Printed in Germany
— 09860/8 —

Inhalt

Skitraining

Skilaufen – gestern, heute, morgen

Sportliche Aktivität gehört — Gott sei Dank — immer mehr zu den beliebtesten Dingen unserer Freizeit. Skilaufen ist darunter besonders modern. Man schätzt, daß es heute bereits über 40 Millionen Skiläufer in der ganzen Welt und annähernd 10 Millionen in Deutschland gibt. Skilaufen — gestern ein Sport für Individualisten — ist heute ein Massenvergnügen. Warum?

Skilaufen bietet so ziemlich alles, was man sich in seiner Freizeit »erträumt«: frische Luft und Sonne, Bewegung und Bekanntschaft, und . . . es macht natürlich Spaß.

Allerdings nicht aller Skiläufer »Träume« erfüllen sich. Statistiker haben errechnet, daß um das Jahr 2000 die Sportärzte über 250 000 Knochenbrüche in einer einzigen Skisaison zu verarzten haben. »Die sogenannten Untrainierten, ganz gleich, woher sie stammen, sind meine besten Kunden«, behauptet der Chef einer Spezialklinik für Skiunfälle. Das sind also in erster Linie jene Menschen, die sich mit stocksteifen Gliedern, ohne jegliche Vorbereitung und natürlich ohne Skikurs, ins Skivergnügen stürzen.

Nur wenige Skiläufer bereiten sich auf die Anforderungen richtig vor. Unter Vorbereitung verstehen die meisten nur die Aufforderung der Sportgeschäfte, vor der neuen Skisaison die Ski ausbessern zu lassen oder die Skiausrüstung »in Schuß zu bringen«. Dabei bleibt es. Die Notwendigkeit der konditionellen Vorbereitung oder gar eines entsprechenden Skitrainings wird vergessen oder einfach ignoriert.

Es dürfte endlich an der Zeit sein und es wäre zu wünschen, daß sich auch die große Masse aller Skiläufer — und nicht nur der kleine Kreis der Spitzenläufer — moderner Erkenntnisse der Bewegungs- und Trainingslehre bedient. Dieses Buch versucht deshalb ein umfassendes Skitraining — im Schnee und zuhause — vorzustellen. Das beginnt bei der konditionellen Vorbereitung zuhause und endet beim Trainieren der modernsten Skitechnik im Schnee. Es ist verständlich, daß ein Buch keinesfalls die Praxis ersetzen kann, am wenigsten wohl beim Skilaufen. Erst recht deshalb nicht, da sich die Skitechnik, wie kaum in einer anderen Sportart, ständig weiterentwickelt. Der Skisport von gestern, in der Gemeinschaft der Skiclubs ausgeübt, wird heute und morgen mehr und mehr Privatsache werden — trotz Massenvergnügen. Jedermann wird also sein Skitraining mehr und mehr selbst in die Hand nehmen. Das Buch gibt Ihnen Anregungen und praktische Tips, wie Sie »Ihr eigener Skitrainer« werden können.

Zweck und Ziel des Skitrainings

Bevor man sich über **Zweck** und **Ziel** des Skitrainings klar wird, sollte man wissen, welche Anforderungen der Skilauf an uns stellt.

Skilaufen ist ein Sport, der enorme physische Reserven fordert. Das gilt für den Anfänger gleichermaßen wie für den Rennläufer. Und der eine körperliche und geistige Anpassung an die ständig wechselnden Verhältnisse, an Natur, Gelände und Schnee beansprucht. Das heißt, man braucht eine gute **Kondition** und eine vielseitige ′Skitechnik. Darüber hinaus ist Skilaufen eine sehr vom Material der Ausrüstung abhängige Sportart. Denn jeder Skiläufer hat am eigenen Leibe erfahren, wie sehr das anfänglich ungewohnte Paar Ski und die klotzigen Skischuhe die allgemeine Beweglichkeit beeinträchtigen.

»Die Ski sind ein Fahrzeug, das gesteuert werden muß« (Karl Gamma). In diesem Fall braucht ein Skiläufer dazu eine vielseitige Beweglichkeit, ein ausgeprägtes Gleichgewichtsgefühl sowie eine allgemeine und spezielle Muskelkraft. Diese ist zwar kaum zur eigenen Fortbewegung erforderlich, aber zum Ausführen ganz bestimmter Stellungen und Bewegungen, zur Steuerung des Gerätes und zur besonderen Tempobeschleunigung beim fortgeschrittenen Skiläufer. In diesem

Zusammenhang erscheint es erwähnenswert, daß bei einer tiefen Kniebeuge auf einem Bein bei einem 70 kg schweren Menschen am Gelenkknorpel und am Kniescheibenband statische Kräfte von 500 bis 550 kg auftreten. Die bei der schnellen Körperbewegung auftretenden Kräfte dürften bei einer Größenordnung von 1000 bis 2000 kg liegen (Sportarzt und Sportmedizin). Nicht uninteressant für das Training des Kreislaufs ist auch folgendes: Rennläufer erreichen in Abfahrtsrennen Pulswerte von über 200 Schlägen/pro Min. Vor kurzem wurden auch an Normal-Skiläufern telemetrische Pulsfrequenzmessungen durchgeführt. Dabei ergaben sich etwa folgende Werte:

Beim Anmarsch zum Lift (20 Min.)
170 Schläge/Min.
12 Min. vor der Abfahrt
120 Schläge/Min.
Während der Abfahrt (Länge 2 km) mehrmals 170 Schläge/Min.
Beim Schleppliftfahren
110 Schläge/Min.
Mittleres Niveau (Fortgeschrittene)
140 Schläge/Min.
(Sportarzt und Sportmedizin)

Der Normal-Puls liegt im allgemeinen zwischen 70 und 80 Schlägen/Min., der Ruhepuls sogar noch niedriger.

Die Anpassung muß der Kreislauf leisten. Aus diesen Werten läßt sich unschwer auch die Notwendigkeit eines Kreislauftrainings ableiten. Alle diese Erkenntnisse weisen eindeutig auf eine konditionelle Vorbereitung vor dem Skilaufen hin. Doch zurück zur Skitechnik.

Beim Skilaufen tritt, erschwert durch die dauernd wechselnden Verhältnisse, eine Fülle von Bewegungskombinationen auf, in unebenem und geneigten Gelände, unter verschiedenen Schneebedingungen. Die Technik ist darauf einzustellen. Zudem muß man ganz spezielle Empfindungen »erfühlen lernen« wie z. B. Skigefühl, Kantengefühl und Gleichgewichtsgefühl. Diese kann man zwar nur im Schnee trainieren, aber die Bewegungsfolge ganz bestimmter Techniken läßt sich auch ohne Ski zuhause üben.

Die Entwicklung des Skisportes in Richtung immer höherer Geschwindigkeiten — auch des Durchschnitts-Skiläufers — verlangt schließlich ein gewisses Maß an Reaktionsfähigkeit, wie es im täglichen Leben kaum erforderlich ist.

Patrick Russel demonstriert hier im Slalom höchste Perfektion der Skitechnik.

Honoré Bonnet, der berühmte französische Skitrainer, antwortete auf die Frage, was er im Skitraining für am wichtigsten halte: »Training der Kondition und Automation!« Das letztere bedeutet Training der Technik und Reflexe.

Tests und Untersuchungen haben erwiesen, daß zwischen Kondition und Technik organische Zusammenhänge bestehen. Für Anfänger und Könner gilt gleichermaßen: Um überhaupt zu einer zweckmäßigen Skitechnik zu finden, gilt es zunächst andere Leistungsfaktoren zu entwickeln, nämlich alles das, was man unter Kondition versteht. Sind Mängel in der Kondition vorhanden, kann die perfekte Technik nie erlernt werden. Und andererseits, je perfekter die Technik beherrscht wird, um so wirksamer können die konditionellen Eigenschaften eingesetzt werden. Wenn man aus all diesen Erkenntnissen die Konsequenzen zieht, dann wird der **Zweck** des Skitrainings zuhause und im Schnee deutlich.

Anfänger mit guten konditionellen Voraussetzungen werden beim Skilaufen schnelle Fortschritte machen. Auch durch das Training ganz bestimmter Bewegungen der Skitechnik zuhause läßt sich der richtige Ablauf der Bewegung und deren besonderer Rhythmus schon im voraus üben. Dadurch wird sich automatisch der Zeit-aufwand der Gewöhnung im Schnee verkürzen.

Außerdem lassen sich Ungenauigkeiten und Abweichungen, ja sogar Fehler in der Technik, die zum Teil zu Verletzungen führen können, durch kontrolliertes Trainieren techniknaher Bewegungen leicht ausschalten. Das spielt in erster Linie für die vielen **Durchschnittsfahrer** eine Rolle. Natürlich kann man durch häufiges Wiederholen ganz bestimmter Bewegungsabläufe eine gewisse Bewegungskontrolle entwickeln. Das führt später zur Automatisierung der Technik, d. h. man muß nicht mehr denken beim Skilaufen. Ohne diese kann selbst der **Spitzenläufer** keine Leistungsverbesserungen mehr erzielen.

Ziel eines jeden Skiläufers ist es im allgemeinen, jedes Gelände, dem eigenen Können entsprechend, ohne Sturz zu meistern. Dieses Ziel kann man durch ein gezieltes konditionelles und technisches Training — zuhause und im Schnee — schneller, risikoloser und vor allem leichter erreichen. Selbstverständlich wird man auch mehr Spaß damit haben.

Kondition

»Fit sein« — »In Form sein« — »Außer Form sein« — sind alltägliche Begriffe für uns. Was versteht man darunter? Zunächst kann man daraus im allgemeinen Rückschlüsse auf unsere Kondition ziehen. »Fit sein« bedeutet, daß man sich aufgrund eines gezielten Trainings in guter Kondition befindet. Eine gute Kondition entspricht einem guten Trainingszustand. Eine gute Kondition befähigt zur Leistungssteigerung, ist geradezu Vorbedingung zum Erreichen einer Leistung. (lateinisch »conditio« = Vorbedingung, Zustand, Verfassung). Kondition drückt sich in gewissen körperlichen und seelischen Grundeigenschaften aus, nämlich physischen, motorischen und psychischen. Die wichtigsten **Bewegungseigenschaften** sind:

■ Kraft
■ Gewandtheit
■ Schnelligkeit
■ Ausdauer
■ Beweglichkeit

Natürlich gibt es ganz spezifische Arten dieser Bewegungseigenschaften, und innerhalb der einzelnen Sportarten ist deren Bedeutung unterschiedlich groß.

Beim Skilaufen z. B. werden alle fast gleichermaßen gefordert.
Die **Kraft** ist die für uns wichtigste körperliche Eigenschaft. Mit Hilfe der Kraft kann man sich fortbewegen und wie z. B. beim Skilaufen ein Sportgerät bedienen, beschleunigen und steuern. Gerade hierbei ist es notwendig, alle Hauptmuskelgruppen soweit zu kräftigen, daß die Verletzungsgefahr auf ein Minimum reduziert werden kann.
Die **Gewandtheit** ist die Fähigkeit des Menschen, die eigenen Bewegungen zweckmäßig zu koordinieren (TPKK = Theorie und Praxis in der Körperkultur). Sie befähigt uns auch, die Technik variabel, der Situation entsprechend, zweckdienlich anzuwenden und Bewegungskorrekturen vorzunehmen. Auf eine möglichst frühzeitige Ausbildung der Gewandtheit sollte man deshalb großen Wert legen.
Die **Schnelligkeit** ist die Fähigkeit, eine Muskelaktion mit maximaler Schnellkraft zu unterhalten (Hollmann). Um Bewegungen in hoher Geschwindigkeit zu machen, benötigt man Schnelligkeit, beim Skilaufen vor allem Reaktionsschnelligkeit. Diese ist bis zu einem gewissen Grade trainierbar.
Die **Ausdauer** ist die Fähigkeit des Menschen eine Bewegung über einen längeren Zeitraum auszuführen. Sie beruht nach allgemeiner Auffassung

auf der Leistungsfähigkeit des Herz-, Kreislauf-, Atmungs- und Nervensystems einschließlich der »lokalen« Muskulatur (Nett).
Nicht nur der lange Skitag und die ständige Anpassung des Körpers an die auftretenden Höhenunterschiede machen beim Skilaufen eine entsprechende Entwicklung der Ausdauer erforderlich. Jedoch braucht man für die Anpassung Zeit und ein entsprechendes Training.
Die **Beweglichkeit** ist die hohe Funktionsfähigkeit der anatomisch-physiologischen Bewegungsanlagen (Bernett). Beweglich ist man dann, wenn man alle Gelenke, Muskeln, Sehnen und Bänder ungehemmt bewegen kann. Die Beweglichkeit der Wirbelsäule, die Elastizität der Muskulatur sowie die Funktionsfähigkeit der Gelenke spielt beim Skilaufen eine eminent wichtige Rolle. Dehn- und beweglichkeitsfördernde Übungen sollten deshalb nicht vergessen werden.
Durch das vielseitige Training oben genannter Eigenschaften können die körperlichen Grundlagen für das Skilaufen geschaffen werden, natürlich in der Praxis unabhängig vom Trainieren der Technik. Eine Leistung kann aber nur aus der Summe von **Kondition** und **Technik** entstehen. Wir wenden uns deshalb nun der Technik zu.

Technik

Das Können eines Skiläufers beurteilt man normalerweise nach seiner Skitechnik. Im täglichen Sprachgebrauch versteht man darunter nicht Technik, sondern den »Stil«. **Stil** im Sport nennen wir die persönlich geprägte Art und Weise der Ausführung sportlicher Bewegungen, in der höchste Leistungen mit hoher technischer Meisterschaft und unter Einsatz der allseitig entwickelten Persönlichkeit vollbracht werden (Meinel). Was bedeutet also Technik?

Unter **Technik** versteht man allgemein die mehr oder weniger gekonnte Ausführung bestimmter Bewegungen. Man muß sich dazu bestimmte **Bewegungsfertigkeiten** aneignen. Wenn man von dem ökonomischen Grundsatz ausgeht: »Mit dem geringsten Kraftaufwand in der Zeiteinheit die relativ höchste Leistung zu erzielen«, dann bedeutet das für die Skitechnik, daß sie mit einem möglichst geringen Aufwand an Kraft und Energie erfolgen muß und harmonisch in einem flüssigen Ineinandergreifen notwendiger Bewegungen verläuft. Rhythmus und Dynamik sind die äußeren Kennzeichen dafür. Jede sportliche Bewegung im ganzen oder jeder einzelnen Phase verläuft in einer bestimmten Richtung, in einem bestimmten Tempo und in einem bestimmten Rhythmus. Aus dieser Erkenntnis wird klar, daß hierzu die Technik gewisse Merkmale aufweisen muß, die bereits in der Bewegungslehre fixiert wurden. Auch für das Skilaufen. Diese Merkmale sind bei den verschiedenen Sportarten unterschiedlich ausgeprägt und geben zusammen ein genaues Bild der Koordination der Bewegung.

Im Skitraining gibt es nacheinander folgende Grundfertigkeiten zu erlernen: Erhalten des Gleichgewichts – das Gleiten – das Bremsen – die Richtungsänderungen – das Beschleunigen. Dabei treten Bewegungsstrukturen auf, die sich wie ein roter Faden durch die Skitechnik ziehen. Sie werden kurz skizziert:

Die **Vertikalbewegung,** d. h. die Tief-Hoch-Tiefbewegung der Beine. Diese Bewegung kann je nach Betonung zwei Formen der Entlastung bewirken, die Hochentlastung und die Tiefentlastung. Beide Arten der Entlastung spielen bei den einzelnen Richtungsänderungen eine Rolle. Z. B. Tiefentlastung beim Fersenschub oder bei der Ausgleichstechnik, Hochentlastung beim Parallelschwung. Diese Vertikalbewegung steht im gesamten Techniktraining im Mittelpunkt. Meistens ist mit der Vertikalbewegung ein Belastungswechsel und eine Gewichtsverlagerung verbunden (auch »Umsteigen« in irgendeiner Form). Ganz ausgeprägt z. B. beim Gehen und Laufen (S. 62), Schlittschuhschritt (S. 65), Pflugbogen (S. 80), Umsteigeschwung (S. 98) usw. Belastungswechsel kann erfolgen von Außenski zu Außenski, von Innenski zu Innenski, vom Innenski auf den Außenski und umgekehrt. Die Belastung der Ski kann beidbeinig und einbeinig mit allen möglichen Zwischenformen sein.

Die **Verwindung:**
Darunter versteht man ein ganz bewußtes Gegenbewegen der Hüfte und des Oberkörpers gegen die Bewegungsrichtung als Ausgleich wie z. B. beim natürlichen Gehen. Diese ist wichtig z. B. bei der Steuerung eines Schwunges. Die Stärke der Verwindungsbewegung ist unterschiedlich, sie muß sich anderen Bewegungen anpassen. Auch sie nimmt eine zentrale Stellung innerhalb der Skitechnik ein.

Die **Rotation:**
Sie ist im allgemeinen ein aktive Körperdrehung (in horizontaler Form) in Schwungrichtung. Man bezweckt damit eine gewisse Drehung der Ski. Diese kann aber nur entstehen, wenn die Drehung nach vorn rechtzeitig wieder blockiert wird. Sonst entsteht ein »Überdrehen«. Rotation sollte

1 Schußfahrtstellung
2 Schrägfahrtstellung
3 Pflugstellung

1 Innenskibelastung
2 Beidbeinige Skibelastung
3 Außenskibelastung

4/5 Hochentlastung
6/7 Tiefentlastung

1 Verwindung
2 Vorausbewegung
3 Rotation

4 Geschlossene Skistellung
5 Offene Skistellung
6 Stemmstellung
7 Scherstellung

1 Stock als Abstoßhilfe
2 Stock als Stützhilfe
3 Stock als Drehhilfe

1 Eiformstellung
2 Vorlage – Rücklage
3 Abfahrtstellung

Aufkanten

Umkanten

man erst in der fortgeschrittenen Stufe anwenden, da sie dem Anfänger nur Unsicherheit gibt. Dort hat sie dann auch Beschleunigungscharakter. Meistens wird ein Schwung sowieso nur »anrotiert«, um eine Drehung zu erzielen.

Die **Vorausbewegung:**
Diese Bewegung wird allgemein charakterisiert durch ein »Hineinfallen« des Oberkörpers in den Hang, am Anfang oder Ende eines Schwunges. Besonders auffallend z. B. beim Kippschwung (S. 112), aber auch beim Parallelschwung (S. 102) im Anschluß an die Steuerphase (das Ankippen ist ein talwärtiges Vorausbewegen des Oberkörpers zwischen Skistock und Skispitze hindurch). Diese Vorausbewegung ist stets ein Drehen des Oberkörpers in die Richtung, in die der nächste Schwung zielt. In gesteigerter Form führt sie zur Rotation. Kurz noch einige weitere skitechnische Begriffe:
Je nach Technik und Gelände wird sich zudem die **Fahrstellung,** d. h. die Körperstellung verändern, von der Fahrt in der Fallinie bis zur Schrägfahrt. In der Praxis braucht man eine ständige Anpassung der Fahrstellung an das Gelände. Sie führt von normaler, locker gebeugter Stellung bis zur Vor- und Rücklage oder von einer aufrechten bis zu einer gebeugten Körperstellung oder Hockstellung.

Die Skitechnik äußert sich ebenso in einer wechselnden **Skistellung.** Darunter versteht man die Lage der Ski zueinander. Die Skistellung kann sein:

- geschlossen — offen (Schußfahrt, Schwingen)
- Stemmstellung (einseitig und beidseitig — Pflug, Stemmschwung)
- Scherstellung (Schrittschwung, Scherschwung)
- Schrittstellung (Gehen, Laufen).

Auch die **Skiführung,** d. h. die Lage der Laufffläche zum Schnee, verändert sich je nach Gelände und Körperstellung laufend von flach bis gekantet; z. B. flach in der Schußfahrt, gekantet in der Schrägfahrt.
Bei der Betrachtung der Skitechnik muß man auch auf den **Stockeinsatz** eingehen. »Die Hauptaufgabe des Stockeinsatzes ist die ›Unterstützung‹ der Hochentlastung oder ›Stütze‹ für die Tiefentlastung«. (Gattermann)

Man kann die Skitechnik in vier Hauptgruppen unterteilen (siehe Tabelle):

- Verwindungstechnik
- Rotationstechnik
- Umsteigetechnik
- Schleudertechnik

Das Hauptziel der Skitechnik ist: **variabel** zu sein, immer anpassungsfähig an die ständig wechselnden Gelände- und Schneeverhältnisse.

Beim Anfänger wird die Gleichgewichtsschulung, das Gleiten und Bremsen zunächst vorrangig sein. Aus Gründen der Sicherheit bedient er sich vor allem tempovermindernder Technik. Der gute Skiläufer, der in jedem Gelände fährt, wird seine Skitechnik je nach Anforderung modifizieren müssen. Seine Technik wird also sowohl Tempoverminderung und Tempoerhaltung beinhalten. Im Gegensatz zum Rennläufer sollte der Normalskiläufer immer einige technische Reserven haben. Kälte, Sturm, Nebel oder plötzlich auftretende Schwierigkeiten könnten deren Einsatz veranlassen. Der Könner und Rennläufer wird Wert darauf legen, schnell und rationell zu fahren und dementsprechend wird seine Technik am individuellsten sein. Er wendet deshalb alle drei Möglichkeiten, nämlich die **tempovermindernde** Technik, die **tempoerhaltende** und die **tempobeschleunigende** Technik an. Außerdem verzichtet er meistens auf die aktiven Entlastungsarten und bedient sich mehr der passiven, z. B. durch Ausnützung vom Gelände her. (Ulmrich).
Der Rennläufer fährt immer voll und ist sogar gezwungen, bewußt auf Risiko zu fahren. Grundvoraussetzung dafür ist: alle Variationen der Skitechnik zu beherrschen und sie dann den jeweiligen Verhältnissen ent-

sprechend anzuwenden. Jeder Rennläufer erfüllt diese Forderungen auf seine Weise. Ja, jeder hat seine eigene unverkennbare »Handschrift«. Das ist auch der Grund dafür, daß man eigentlich im Wettkampfsport keine Einheitstechnik findet. Bei der Schwungauslösung, der Entlastung, dem Kantenwechsel und der Schwungsteuerung kann man immer Mischformen beobachten. Das Verblüffende dabei ist aber, daß die Technik der weltbesten Skiläufer oft den wissenschaftlich erforschten Kriterien nicht entspricht.

Ganz charakteristisch für jeden einzelnen jedoch ist die ihm eigene **Bewegungsmelodie.** Nicht nur bei Rennläufern, das gilt gleichermaßen für Anfänger, Fortgeschrittene und Könner. Diese, so scheint es, wird wohl das wichtigste Kriterium der Skitechnik überhaupt sein.

Erfahrungsgemäß eignet sich nicht jede Skitechnik grundsätzlich für alle Könnensstufen gleich gut. Die Tabelle empfiehlt dem Laien folgende Anwendung:

Technik	Anfänger	Fortge-schrittene	Könner	Rennläufer
Verwindungstechnik	+	+	+	+
Rotationstechnik	−	−	+	+
Umsteigetechnik	+	+	+	+
Schleudertechnik	−	−	+	+

Training

Training ist die planmäßige Vorbereitung auf die persönliche Höchstleistung (TPKK). Das beinhaltet die planmäßige Vervollkommnung bestimmter Bewegungsabläufe genauso wie eine systematische Steigerung körperlicher und seelischer Reize, die zu einer optimalen Funktionstüchtigkeit des Organismus führen (Bernett). Auf dieser allgemeinen Definition entstand die spezielle Konzeption dieses Buches.

Grundsätzlich besteht also jedes Training, auch das Skitraining, immer aus zwei Teilen:

Dem allgemeinen und speziellen Konditionstraining auf der einen und dem Erlernen und Verbessern der Technik auf der anderen Seite. Auf die Zusammenhänge zwischen Kondition und Technik wurde bereits eingegangen.

Das gesamte Konditionstraining hat das Ziel, den Bewegungsapparat für die jeweilige Funktion oder Leistung in einer bestimmten Sportart vorzubereiten (Nett) und die körperlichen Grundlagen zu schaffen.

Das Techniktraining beschäftigt sich mit dem Erlernen von speziellen Bewegungen einer Sportart. Daraus läßt sich eine für uns gültige Trainingssystematik erstellen:

Zu dem **allgemeinen Konditionstraining** rechnet man alle Arten von Kraft-, Lockerungs- und Dehnübungen,

Allgemeines
Konditionstraining

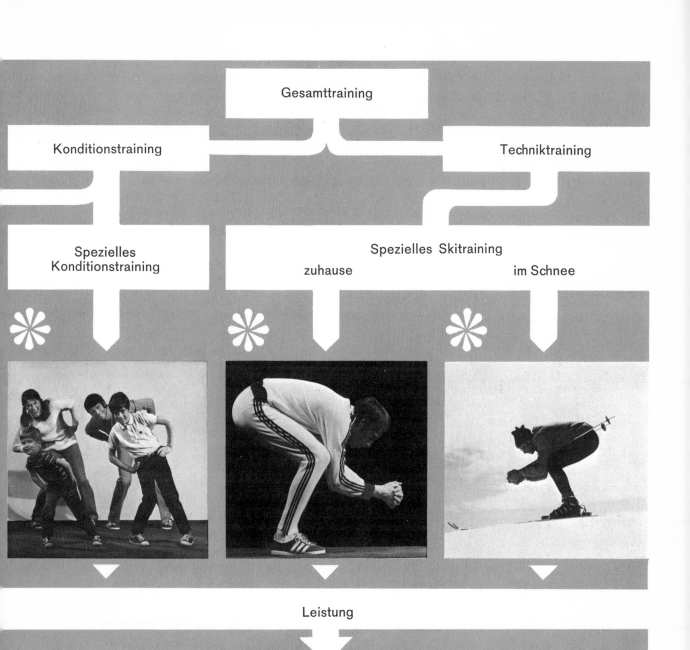

Gesamttraining

Konditionstraining

Techniktraining

Spezielles
Konditionstraining

Spezielles Skitraining

zuhause

im Schnee

Leistung

die die Gesamtverfassung des Körpers möglichst vielseitig ausbilden. Das **spezielle Konditionstraining** (allgemeines Skitraining) bevorzugt solche Übungen, die die beim Skilaufen besonders beanspruchte Muskulatur und die Gewandtheit des Skiläufers trainieren (aber auch typische Bewegungen und Stellungen unter Belastung).

Das **spezielle Skitraining** schließlich befaßt sich mit dem techniknahen Trainieren charakteristischer Bewegungen und Stellungen aus dem Skilauf zuhause und dem Erlernen der Skitechnik (skitechnischer Fertigkeiten) im Schnee.
Ein Anfänger trainiert grundsätzlich genauso wie ein Könner, nur mit einem Unterschied: Der Anfänger wendet im Skitraining die sogenannte »Schrotschußmethode« an. Das heißt, daß man am Anfang mit möglichst vielen Trainingsmitteln möglichst viele Fähigkeiten entwickelt. Später kann man dann gezielter, also auch individueller vorgehen (Nett).
Das Training wird sich natürlich über eine längere Zeitdauer erstrecken. Wesentliche methodische Hilfsmittel im speziellen Skitraining sind: gute Vorbilder, der Rhythmus, eine gezielte Korrektur, Liftbenutzung und vor allem viele, viele Abfahrten.

Jedes Training bedarf einer Planung, einer entsprechenden individuellen Dosierung der Belastung nach Geschlecht, Alter, Witterung und Klima. Im einzelnen ist es günstiger, das Training zuhause und im Schnee immer in drei Teilen durchzuführen:
1. Teil — **Aufwärmen**
2. Teil — **Training**
3. Teil — **Ausklingenlassen**
Beim Skitraining im Schnee hat sich die Dreiteilung besonders bewährt. Die Verletzungsgefahr kann dadurch mit gutem Gewissen auf ein Minimum reduziert werden. Statistiken haben erwiesen, daß die meisten Skiunfälle entweder am Anfang des Tages, wenn man noch »kalt« ist oder auf den letzten Abfahrten, wenn man bereits übermüdet ist, passieren. Deshalb solle man vor der ersten Abfahrt unbedingt **Gymnastik zum Aufwärmen** durchführen (S. 56). Das Ausklingenlassen kann sowohl physisch wie psychisch empfohlen werden.
Bei unserem Skitraining zuhause beschränken wir uns bewußt auf ein konditionelles und technisches Training auf rein gymnastischer Basis. Das hat den Vorteil, daß man jederzeit — ohne besondere Umstände oder Geräte — damit anfangen kann, allein oder auch im Rahmen der Familie. Voraussetzung ist eigentlich nur, daß man gerade Zeit und Lust dazu hat.

Psychologie

Im Sport erscheint es zunächst neu, psychologische Erkenntnisse zu berücksichtigen und anzuwenden. In vielen anderen Bereichen des Lebens hat es sich allerdings als unumgänglich erwiesen.

Grundlagen
Bei der Bewältigung von Leistungsanforderungen begleiten den Menschen im großen und ganzen zwei sich gegenüberstehende Motive: die **Hoffnung auf Erfolg** oder die **Furcht vor Mißerfolg.**
Mißerfolgsmotivierte sind diejenigen Personen, die bei allen Leistungsanforderungen Angst haben, zu versagen. Sie setzen sich zu niedrige oder paradoxerweise zu hohe Ziele. Letzteres erfolgt einerseits, um rechtfertigen zu können, daß man wieder einen Mißerfolg einstecken mußte, andererseits um der Umwelt zu beweisen, welche hohen Ansprüche man an sich stellt.
Erfolgsmotivierte Personen haben gelernt, nur Anforderungen zu erfüllen, die ihre Leistungsfähigkeit nicht übersteigen. Sie sind deshalb insgesamt erfolgreicher. Ihre Zielsetzung bleibt realistischer.

Im Sport ist wichtig, sich nicht zu überfordern. Das gilt sowohl für Schüler als auch für Lehrer. Jeder sollte prüfen, bevor er beginnt, welchen Anforderungen er sich aussetzen kann und will. Vor allem Lehrer sollten am Anfang aufgrund ihrer Erfahrung dem noch unerfahrenen Schüler psychologisch zur Seite stehen, indem sie erkunden, welche Leistungsmotive ihre Schüler haben. Möglicherweise stehen diese in krassem Gegensatz zu ihrer Leistungsfähigkeit.

Lernen am Erfolg

Wissenschaftliche Untersuchungen in der Lernpsychologie haben ergeben, daß größere Lernfortschritte mehr durch Anerkennung als Tadel erzielt werden. Es kommt im Sport — wie in vielen anderen Lebensbereichen — weniger darauf an, was man falsch, sondern was man richtig macht. Besonders wirksam ist dieses Prinzip, wenn man es systematisch und ohne große zeitliche Verzögerung anwendet. Es ist also wesentlich, richtig gemachte Übungen möglichst sofort nach ihrem Auftreten durch positive Verstärkung (Anerkennung) zu bekräftigen. Auf diese Weise in Gang gesetzte Lernprozesse können beispielsweise durch bandgespeicherte Fernsehaufnahmen noch beschleunigt werden, da man unmittelbar nach einer Bewegungsfolge eine bewußte Kontrolle über ihren richtigen Ablauf bekommt. Lehrmethoden der Zukunft werden weitgehend durch die Verwendung audiovisueller Hilfsmittel bestimmt werden.

Das Erreichen eines Trainingszieles hängt jedoch nicht allein von äußeren Hilfsmitteln ab. Es gibt eine Reihe von inneren Momenten, die ebenfalls einen Lernfortschritt begünstigen.

Entspannungstraining

Vor und nach einer jeden Übung empfiehlt es sich ganz bewußt, den Körper in einen lockeren, entspannten Zustand zu versetzen. Das ist genauso ein aktiver Vorgang wie die Anspannung. Das Schlafen ist ja bekanntlich auch kein passives, sondern ein aktives Erholungsverhalten des Körpers. Selbst wenn man dabei »schläft«.

Das Entspannungstraining bedarf einiger Geduld, es gelingt nicht auf Anhieb. Am besten versucht man es zunächst zuhause. Nach einem kurzzeitigen Anspannen des ganzen Körpers versucht man Hände und Arme, Gesicht und Hals, Schultern und Rücken, Brust und Bauch, Beine und Füße zu entspannen.

Wenn die Entspannung beherrscht wird, ist unbedingt ein zweiter Schritt erforderlich:

Vorstellungstraining

Die meisten Bewegungsabläufe bereiten anfangs hartnäckige Schwierigkeiten. Oft kommen beim Skifahren noch ungünstige Wetter-, Schnee- und Geländebedingungen hinzu. Die Folgen davon sind Nervosität, Verkrampfung, Hemmung und Angst. Es hat sich bei Lernvorgängen generell als nützlich erwiesen, im entspannten Zustand die Schwierigkeiten, die man bei der Bewältigung einer Aufgabe hat, in der Vorstellung zu wiederholen. Dabei lernt man fast unbemerkt, diese Schwierigkeiten auf eine weniger gehemmte, ängstliche Weise zu überwinden. Hinzu kommt, daß das Vorstellungstraining die subjektive Sicherheit beim anschließenden Fahren erhöht.

Wenn das psychologische Verhaltenstraining beherrscht wird, läßt sich schon nach kurzer Zeit feststellen, daß das Interesse und die Freude auch bei schwierigen Anforderungen erhalten bleibt, ja meist sogar gesteigert wird.

Das Prinzip des Erfolgslernens, das Entspannungs- und das Vorstellungstraining wird im Rahmen eines Forschungsprojektes des Deutschen Sportbundes für die Deutsche Alpine Ski-Nationalmannschaft im Hinblick auf die Olympischen Winterspiele in Sapporo bereits erfolgreich angewende
Dipl.-Psych. Reiner W. Kemmler

Methodik

Für Skilehrer und alle jene, die mit Sport- oder Skiunterricht zu tun haben, wird kurz noch grundsätzlich auf die Methodik eingegangen. Unter Methodik versteht man allgemein die »Technik des Unterrichtens«. Skimethodik ist demnach die Lehrweise des Skilaufs, die Art und Weise, wie man das Skilaufen dem Schüler lehrt (Brandenberger). Für den einzelnen zeigt die Skimethodik den Weg auf, um die Skitechnik zu erlernen. Natürlich gibt es viele Wege, und vor allem immer neue Wege. Das kommt beim Skilaufen daher, weil die Skimethodik der Skitechnik immer hinterherläuft, oder anders ausgedrückt die Skitechnik der Skimethodik immer um einige Nasenlängen voraus ist. Das ist übrigens nicht nur im Sport so, sondern auch im kulturellen Bereich. Wir wollen deshalb die Skimethodik auch nicht überbewerten. Entscheidend ist nur, alle physiologischen und psychologischen Erkenntnisse und die Grundprinzipien moderner Sportmethodik zu berücksichtigen.

Die **Ausrüstung,** auf die ich im Rahmen dieses Buches nicht eingehen möchte, ist die wichtigste Vorbedingung, die man als Skiläufer, vor allem als Anfänger, beachten muß. Besonders hinweisen möchte ich auf die Erkenntnis, im modernen Skiunterricht in der Anfängerstufe und auch später mit kürzeren, d. h. körpergroßen Lernskiern zu fahren. Die **Grundprinzipien** moderner Skimethodik in bezug auf Technik, Gelände und Schnee sind:

- Vom Leichten zum Schweren
- Vom Bekannten zum Neuen
- Von der Grobform zur Feinform
- Von der kleinen Richtungsänderung zur großen Richtungsänderung.

Wenn man davon ausgeht, eine möglichst variable Skitechnik zu erlernen, dann bedeutet das in der Praxis, einen möglichst vielseitigen, d. h. breiten Lehrweg zu empfehlen. Dieser Lehrweg muß aber an bestimmten Kontrollpunkten vorbeiführen. Selbstverständlich ist man auch an Grundsätze und Stufen des Lernens gebunden. Die bei der Technik aufgezeigten Bewegungsstrukturen und skitechnischen Fertigkeiten sollen dabei immer im Mittelpunkt stehen. Auf keinen Fall darf man den Fehler machen, einen bestimmten »Stil« zu lehren, also eine persönliche Eigenart zu kopieren und sei es die eines Weltbesten.

Für den **Anfänger** (S. 60) steht das Erlernen einer Grundtechnik in Grobform an erster Stelle. Diese Skigrundausbildung führt vom Gehen und Laufen über Schußfahren, Pflug und Pflugbogen — parallel dazu Schrägfahrt und Fersenschub, Schwung zum Hang — bis zum Grundschwung. Erstes Ziel ist Sicherheit und eine möglichst schnelle »Geländegängigkeit« (vergleichbar mit dem »Freischwimmen«).

Für den **Fortgeschrittenen** (S. 92) ist das Erreichen einer gewissen Feinform der Bewegung Fernziel. Der methodische Aufbau teilt sich hier in drei Wege, individuell auszuwählen, in den

- Aufbau zum Stemmschwung (für den touristisch interessierten Skiläufer)
- Aufbau zum Umsteigeschwung (für den sportlich interessierten Skiläufer)
- Aufbau zum Parallelschwung (für den normal interessierten Skiläufer)

Der **Könner** (S. 110) soll sich mit der »Hohen Schule« des Skilaufs beschäftigen. Durch Training von verschiedenen Schwungformen kann man sein individuelles Fahrkönnen, unter dem Gesichtspunkt des sportlichen Skilaufs, bis zu einer dynamischen Endform steigern.

Der **Rennläufer** (S. 125) schließlich soll sich mit dem speziellen Training von Abfahrt, Slalom und Riesenslalom befassen.

Allgemeines Konditionstraining

Das allgemeine Konditionstraining soll die Grundlage für eine gute körperliche Verfassung schaffen. Eine gesamtathletische Ausbildung wird angestrebt. Es sollen damit grundlegende **Bewegungseigenschaften** ausgebildet und vielseitige sportliche **Bewegungserfahrungen** gesammelt werden. Dazu gibt es eine Fülle von Übungsformen mit und ohne Gerät. Die folgenden stellen ausgewählte Übungen dar, die ohne Gerät und ohne größere Umstände zuhause trainiert werden können.

Vielseitigkeit
Springen mit betonter Hüftdrehung
Wichtig: Hohes Seitdrehen der Knie und schwunghaftes Gegendrehen des Oberkörpers und der Arme

Kräftigung der Fußmuskulatur
In der Hockstellung Wechsel von
Sohlenstand und Zehenstand
Wichtig: Vorschieben der Knie bei
unverändertem Oberkörper

Kräftigung der Beinmuskulatur
Im Hockstand Seitspreizen der Beine
nach links und rechts im Wechsel,
Arme im Hüftstütz
Wichtig: Aufrechter Oberkörper

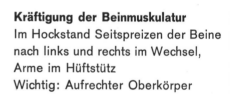

Kräftigung der Bauchmuskulatur
In der Rückenlage beidbeiniges Anhocken und Strecken der Beine
Wichtig: Beim Vorstrecken die Beine
nicht am Boden ablegen

Kräftigung der Rückenmuskulatur
Im Seitgrätschstand »Holzhacken«
Wichtig: Knie nur leicht gegrätscht,
Arme möglichst zwischen den Beinen
nach hinten durchschwingen.
Schnelles Beugen und Strecken

Kräftigung der Rumpfmuskulatur
Wechsel von Streckstand, Hockstütz,
Liegestütz und Streckstand
Wichtig: Keine Pause zwischen den
einzelnen Phasen einlegen

**Kräftigung der Arm- und Schulter-
muskulatur**
Im Liegestütz Beugen und Strecken
der Arme mit gleichzeitigem Rückspreizen eines Beines
Wichtig: Das rückspreizende Bein soll
möglichst gestreckt sein

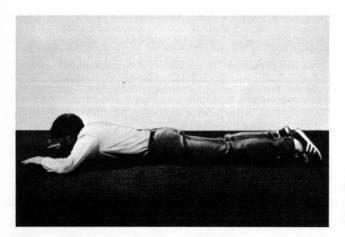

Verbesserung des Gleichgewichts
Kniebeugen auf einem Bein, Arme
vor dem Körper verschränkt
Wichtig: Aufrechter Oberkörper, Un-
sicherheiten durch die Fußgelenke
ausbalancieren

Training der Gewandtheit
Hürdensitzwechsel über die Bauchlage
Wichtig: Im Hürdensitz soll das seitlich angewinkelte Bein im rechten
Winkel zum vorderen Bein am Boden
liegen

Rhythmusschulung
Beidbeiniges Springen rechts und
links im Wechsel, »Dreieckspringen«
(Walzertakt), »Viereckspringen«
(Rumbatakt)
Wichtig: Den jeweiligen Rhythmus
besonders akzentuieren

Training der Schnelligkeit und Reaktion
»Slalomlaufen«
Wichtig: Schnelle, kurze Richtungs-
änderungen versuchen

Ausdauertraining
Gehen, Laufen, Radfahren, Bergsteigen.
Wichtig: Allmähliche Steigerung der
Beanspruchung. Die Leistung ständig
kontrollieren.
Eine gewisse Kontrolle ergibt das
regelmäßige Messen des Pulses. Die
Belastung ist dann ausreichend, wenn
über längere Zeitdauer (bis zu einer
Stunde) eine Herzfrequenz von
130–170 Schlägen/pro. Min. erreicht
wird.

Beim Bergsteigen beginnt man zunächst mit kleineren Spaziergängen,
die dann allmählich zu Tages- und
Wochenendtouren gesteigert werden
können.

Verbesserung der Beweglichkeit im ▶
Schultergürtel
Gegenkreisen der Arme
Wichtig: Die Arme möglichst strecken
und große Kreise machen

Verbesserung der Beweglichkeit der Wirbelsäule und des Hüftgelenkes

Rumpfdrehen
Wichtig: Mitdrehen der gesamten Schulterachse nach hinten, fester Stand
Rumpfdrehbeugen
Wichtig: Die Knie durchgestreckt lassen. Den gegengleichen Arm weit nach oben schwingen
Rumpfseitbeugen
Wichtig: Stehenbleiben und Knie durchgestreckt lassen, der Rumpf darf weder nach hinten noch nach vorn ausweichen

Konditionstest

Ein planvolles Konditionstraining läßt sich auf die Dauer nur dann sinnvoll durchführen, wenn man die Möglichkeit einer gewissen Leistungskontrolle hat. Im Leistungssport existieren seit einiger Zeit bereits »Kontrollnormen« für bestimmte Disziplinen (innerhalb des allgemeinen Konditionstrainings). Die Anwendung ist auch für uns möglich. Natürlich kann man Tests nach verschiedenen Gesichtspunkten auswählen und — verbunden mit dem entsprechenden Training — durchführen. Eine Bedingung sollte aber zumindest immer daran gestellt werden: Das Training und der Test müssen klare Rückschlüsse auf die Grundkondition (in einer speziellen Sportart) geben und vor allem leicht zu praktizieren sein. In diesem Zusammenhang eignet sich am besten das sogenannte »Zirkel-Training« (englisch Circuit-Training) für die Leistungskontrolle. Hierbei ist das Training gleichzeitig immer ein Test. Der Begriff Circuit-Training bedeutet, daß man quasi verschiedene Muskelgruppen nacheinander durch ausgewählte Übungen im Kreis trainiert.

Das Ziel dieser sehr wirksamen Trainingsform ist zweifach:
1. Eine allgemeine Kräftigung der Muskulatur
2. Gleichzeitig auch ein Kreislauftraining.

Wie bereits angedeutet, soll die Auswahl der Übungen einfach sein. Die anfängliche Belastung sollte der jeweiligen Kondition entsprechen. Grundprinzip: progressive Belastung. Durch individuelle Dosierung kann dann der Organismus allmählich vorbereitet und die Leistung auf einer bestimmten Höhe gehalten werden. Ein einmal festgelegter Zirkel sollte, damit man eine echte Leistungskontrolle hat, längere Zeit beibehalten werden. Neben Zirkelprogrammen im Rahmen des allgemeinen Konditionstrainings kann man auch ganz gezielte »Zirkel« aufstellen, z. B. speziell für die Beinkraft oder Gewandtheit.

Wir beabsichtigen also:
1. Die Grundkraft der Muskulatur zu steigern.
Dazu ist erfahrungsgemäß eine Reizstärke von ca. 80 % der Maximalleistung notwendig. Beispiel: Wenn man max. 10 Liegestütze fertigbringt, dann muß man in diesem Fall 8 Liegestütze im Training machen.
2. Die Gesamtausdauer zu steigern. Das erfordert eine Dosierung von etwa ¼ der Maximalleistung, aber

dafür mehrere Durchgänge hintereinander ohne Pause. Eine zusätzliche Kontrolle kann man erzielen, wenn man für die einzelne Übung eine festgesetzte Übungszeit, z. B. 1 Minute, wählt. In dieser Zeit versucht man, eine möglichst hohe Anzahl von Versuchen zu erreichen. Dazwischen muß man bis zu 5 Minuten Pause einlegen, die man aber später wieder verkürzen kann.

Einfache Partnerübungen eignen sich am besten für diese Trainingsform. Ein Partner kann, während der andere trainiert, pausieren und die Versuche des Partners zählen.

Unser Zirkel besteht aus 5 Übungen.

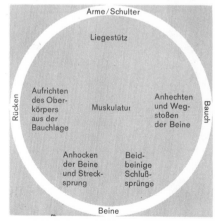

Da das Skilaufen besonders »in die Beine geht«, sind in unserem Zirkel zwei Beinkraftübungen.
Auf geht's, der Test kann beginnen.

Beidbeinige Schlußsprünge über den Partner

Wichtig: Rhytmisches Springen mit kräftigem Abdruck aus den Fußgelenken

normal 40 mal
gut 50 mal
sehr gut 60 mal

Anhechten und Wegstoßen der Beine

Wichtig: Arme und Beine gestreckt lassen, beim Senken die Beine möglichst nicht auf den Boden legen

normal 20 mal
gut 25 mal
sehr gut 30 mal

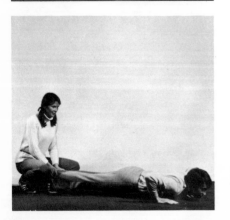

Liegestütz mit Beugen und Strecken der Arme

Wichtig: Der Körper des Übenden sollte möglichst immer gestreckt bleiben

normal 10 mal
gut 15 mal
sehr gut 20 mal

◄ Aufrichten des Oberkörpers aus der Bauchlage
Wichtig: Schwunghaftes Beugen rückwärts mit nur kurzer Bodenberührung
normal   15 mal
gut   20 mal
sehr gut   25 mal

Aus der Bauchlage Anhocken der Beine und Strecksprung usw. ►
Wichtig: Schnelle Bewegungsfolge mit besonderer Betonung des explosiven Strecksprunges

Eine weitere Leistungssteigerung kann erreicht werden durch:
1. Kürzung der Pause
2. Fortfall der Pause
3. Verlängerung der Übungszeit
4. Hinzunahme von weiteren Stationen

Gesamtwertung	
sehr gut	155 mal
gut	125 mal
normal	95 mal

dere an die Oberschenkelmuskulatur. Situationsgerechtes »Verhalten« auf Ski ist ohne entsprechende Gewandtheit kaum zu erreichen.

Training der skispeziellen Gewandtheit

◀ Schwungvolle Drehungen um die Körperachse im Sprung
Wichtig: Absprung und Landung immer auf der gleichen Stelle

Stand auf einem Bein, abwechselnd ▶ Anhocken, Rückspreizen und Seitspreizen nach links und rechts
Wichtig: Schnelle Bewegungsfolge, auf derselben Stelle stehenbleiben

Kniebeugen auf einem Bein, links und rechts im Wechsel
Wichtig: Die Arme vorstrecken (Gleichgewicht!). Mit dem vorderen Bein nicht den Boden berühren.
▼

Spezielles Konditionstraining oder allgemeines Skitraining

Das spezielle Konditionstraining bevorzugt solche Übungen, die die beim Skilaufen besonders beanspruchte **Muskulatur** sowie die **Gewandtheit** besonders trainieren. Bekanntlich nimmt jeder Skiläufer während einer Abfahrt eine gewisse Dauerbeugestellung ein, d. h. es werden ständig hohe Anforderungen an die Beinkraft gestellt, insbeson-

Schwunghaftes Rumpfdrehbeugen rückwärts, die linke Hand greift an die rechte Ferse und gegengleich
Wichtig: Beim Rumpfbeugen beide Knie und das Becken vorschieben

Aus dem Stand vorfallen lassen und weit vorstützen
Wichtig: Das Fallen durch schnelles »Stützeln« abfangen

Bein- und Armspreizen im Schwebesitz
Wichtig: Schnelle Bewegungsfolge, Arme und Beine müssen ganz angespannt werden

Aufstehen ohne Armhilfe im Schneidersitz
Wichtig: Leichtes Vorbeugen im Sitz erleichtert das Aufstehen

Aus der Kerze die Knie neben den Ohren am Boden ablegen
Wichtig: Die Knie einfach senkrecht nach unten fallenlassen

Die »Spinne«, d. h. allmähliches Seitwärtsstützen (nach außen) der Arme und Beine gleichzeitig
Wichtig: Die Arme und Beine möglichst gestreckt lassen und gleichmäßig belasten

Aus dem Rückrollen ohne Armhilfe aufstehen
Wichtig: Den Schwung des Rückrollens für das Aufstehen verwenden, die Füße beim Vorrollen direkt unter den Körper bringen

Weitere Beispiele: Gehen auf allen Vieren, vorwärts und rückwärts, vorlings und rücklings

Aus dem Kniestand ohne Armbenutzung in den Hockstand gehen, dann ¼ Drehung machen und wieder abknien

Aus dem Schwebesitz seitliches Anhocken der Beine ohne Armbenutzung

»Taschenmesser«

Vor- und Rückspreizen eines Beines

Training der skispeziellen Beinkraft

In der Hocke Gehen
Wichtig: Gesäß so tief wie möglich lassen

Gehen, abwechselnd x-beinig und
o-beinig
Wichtig: Jeweils die äußeren bzw.
Innenkanten der Füße kräftig am
Boden aufsetzen

Kantenspringen, x-beinig und o-beinig
im Wechsel
Wichtig: Beim Springen die Knie
gebeugt lassen

»Chaplin-Springen«
Wichtig: Einmal die Fußspitzen soweit
wie möglich einwärts, das andere Mal
auswärts drehen

»Hampelmann-Springen« stark gebeugt
Wichtig: Keine Streckung beim Springen, immer auf der ganzen Sohle springen

»Stampfsprünge«
Wichtig: Besonders den Aufsprung betonen (stampfen)

Strecksprünge aus der tiefen Hocke
Wichtig: Explosives Strecken der
Beine

Hocksprünge aus der tiefen Hocke
Wichtig: Durch das Anhocken im
Sprung noch einmal Höhe gewinnen

Springen in der Hocke, abwechselnd Grätschen und Schließen der Beine
Wichtig: Beim Grätschen mit dem Gesäß so tief wie möglich bleiben

Einbeiniges Springen, links und rechts, mit gegengleichem Anfassen des Fußes
Wichtig: Bis zur vollen Streckung springen

Gehocktes Vorwärtshüpfen mit vor-
gestrecktem Bein
Wichtig: Große Sprünge vorwärts
machen, keine Pause zwischen Aufsprung und Absprung einlegen

Weitere Beispiele: »Affengang«,
»Watschelgang«, »Wachtelgang«,
Kreuzgehen, Kreuzhüpfen. In halb-
hoher Hockstellung wechselseitiges
Vor- und Zurückschwingen eines
Beines, Springen in verschiedener
Beugestellung, Springen in tiefer
Hocke, Springen in halbhoher Hocke
(vorwärts und rückwärts), Springen
mit seitlichem Hochschlagen der
Beine, Grätsch-Winkelsprung.

»Radfahren« zur Lockerung der Beine
Wichtig: Nicht »strampeln«, sondern
abwechselndes Beugen und Strecken
der Beine

»Kosakentanz« seitwärts
Wichtig: Beim Seitspreizen den Oberkörper möglichst aufrecht lassen

49

Spezialübungen

Im Hockstütz vorlings Anhocken und
Strecken der Beine, beidbeinig, ein-
beinig (auch rücklings üben)
Wichtig: Die Arme immer gestreckt
halten und gegen den Widerstand der
Arme springen

51

Im Hockstütz Kniedrehen nach links und rechts im Wechsel, beidbeinig und einbeinig
Wichtig: Das Drehen der Knie nach außen besonders betonen

Aus dem Kniestand absitzen, rechts und links im Wechsel ohne Armhilfe
Wichtig: Beim Absitzen die Arme in Richtung der Beine schwingen

»Sitzwedeln«, d. h. die angehockten Beine abwechselnd nach links und rechts drehen, der Oberkörper dreht dagegen
Wichtig: Mit den Beinen nicht den Boden berühren, das Gesäß ist der Drehpunkt

Im Sitz seitliches Anhocken und Strecken beider Beine, im Wechsel links und rechts
Wichtig: Die Beine sollen nicht den Boden berühren, beim Anhocken die Absätze möglichst bis an das Gesäß bringen

Beckenkreisen vorwärts im Seitliegestütz, links und rechts (auch im Liegestütz vorlings)
Wichtig: Schwunghaftes Kreisen mit Betonung der Aufwärtsbewegung

53

Im Seitliegestütz seitliches Anhocken
und Strecken der Beine im Wechsel,
ein Arm in die Hüfte gestützt
Wichtig: Den Stützarm gestreckt
lassen, durch Hüfteinsatz die Bewegung unterstützen

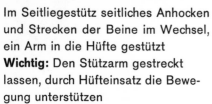

Im Seitliegestütz schwunghaftes Seit-
beugen, der freie Arm schwingt über
den Kopf zurück
Wichtig: Die Hüfte kräftig nach oben
schieben

Aus der Rückenlage am Boden aufstehen, beidbeinig und einbeinig,
ohne Armhilfe
Wichtig: Besonders beim einbeinigen
Aufstehen kommt es darauf an, das
Standbein vorher möglichst weit unter
den Körper zu bringen

Gymnastik zum »Aufwärmen« vor der Abfahrt

Für viele Sportler, ganz gleich ob Fußballer, Schwimmer, Leichtathleten oder andere, gehört »Warmmachen« wie selbstverständlich zum Training. Eine gute Leistung im Wettkampf steht und fällt damit. Was halten die Skiläufer davon? Die große Masse ignoriert das »Aufwärmen« vor der Abfahrt. Trotz teilweise langer Fahrt im Sessellift, trotz — 10° C und mehr, trotz Schneetreiben, trotz steifer Glieder und kalter Hände, trotz . . . Zum Glück hat die Skimode seit einiger Zeit Einsicht mit uns. Überanzüge, Überhosen, kurzum eine immer bessere Ausrüstung bewahren die Skifahrer einigermaßen vor der Kälte. Aber nur vor der Kälte! Deshalb hat das »Aufwärmen« vor der Abfahrt seine Berechtigung, denn »Aufwärmen« ist mehr als »Warmmachen«. Durch entsprechendes »Aufwärmen« — ein paar Gymnastikübungen genügen schon — werden die Muskeln und Gelenke gelockert und besser durchblutet, die Atmung wird intensiviert, ja, der gesamte Organismus kann sich besser an die bevorstehende Leistung anpassen.

Der Verletzungsgefahr, die gerade im kalten Zustand droht, wird vorgebeugt. Die ersten Schwünge werden dann bestimmt besser gelingen. Übrigens, Sie können ruhig bereits vor der Abfahrt etwas ins Schwitzen kommen. Versuchen Sie es doch einmal mit der folgenden Gymnastik:

Zur Lockerung
Armschwingen, wie beim Langlauf. Die Arme schwingen bis in Schulterhöhe

Zum »Warmmachen«
»Hampelmannspringen«

Schulterbeweglichkeit
Armkreisen vorwärts und rückwärts

Rumpfbeweglichkeit
Rumpfbeugen und -strecken mit
gleichzeitigem Kniebeugen

Hüftbeweglichkeit
Beckenkreisen vorwärts und rückwärts, die Arme in die Hüften gestützt

Gegen kalte Hände
Armschwingen vor und zurück
Kräftiges Armkreuzen und -strecken

**Gegen kalte Finger und zur Durch-
blutung der Oberschenkel**
Schnelles wechselseitiges Ober-
schenkelklopfen

Dehnung der Beinmuskulatur
Absitzen zur Hocke und Aufstehen

Vorbereitung auf die Abfahrt
Schnelles »Umsteigespringen« mit
Abheben des Skiendes

Der Anfänger

Die Lernstufe des Anfängers kann man als die »Grundschule« des Skilaufs bezeichnen. Die Skigrundausbildung beabsichtigt demgemäß ein vielseitiges Training von grundlegenden Bewegungsfertigkeiten.
Das heißt . . .

. . . für den Schüler

Der Schüler soll sich zuerst einmal an die Ski gewöhnen, im Schnee am besten durch häufiges Gehen und Laufen in der Ebene. Wenn man zuhause schon vorher mit dem Training begonnen hat, ist die **Gewöhnung** an das Gerät viel schneller zu vollziehen. Danach heißt es, Bewegungserfahrungen zu sammeln, und zwar im **Gleiten.** Je intensiver das Gleiten in der Grundausbildung trainiert wird, um so leichter wird das weitere Skilaufen fallen. Darüber hinaus muß ein Anfänger das **Bremsen** erlernen. Dafür gibt es mehrere Möglichkeiten: den Pflug für das Bremsen aus der Fahrt in der Fallinie und den Schwung zum Hang für das Bremsen aus der Schrägfahrt. Schließlich soll man in diesem Stadium die ersten **Richtungsänderungen** über die Fallinie kennenlernen. Unser erstes Ziel ist der **Grundschwung,** eine Technik, die sich aus dem vorher Gelernten ergibt. Damit kann man bereits leichte Abfahrten machen.

. . . für den Lehrer

Im methodischen Aufbau geht man am besten so vor, daß man das Fahren in **gewinkelter Skistellung** (Pflug, Pflugbogen) und das Fahren in der **Parallelskistellung** (Schußfahrt, Schrägfahrt, Schwung zum Hang) abwechselnd oder gleichzeitig trainiert. Die sorgfältige Auswahl der Vorübungen wird mit entscheidend dabei sein. Kurze (körpergroße) Ski als Lernski und eine offene Skistellung tragen wesentlich zum Lernerfolg bei. In der Skigrundausbildung soll man nur eine gewisse **Grobform** der Skitechnik anstreben. Nicht vergessen: Man soll keine Haltung schulen, sondern Verhalten! Bei der Auswahl des Lehrweges und beim Skilaufen lernen selbst spielen mehrere Fakten eine Rolle:
das Alter, die Kondition und vor allem die Individualität des einzelnen. Darauf muß man sich als Lehrer einstellen können, wenn man Erfolg haben will. Oberstes Gebot ist immer die **Sicherheit.**
»Der Lehrweg wird allein vom Ziel und nicht von der Stilperfektion bestimmt«. (Hans Osel)
Schwerpunkt: Sicherheit und Vermeidung von Unfällen.

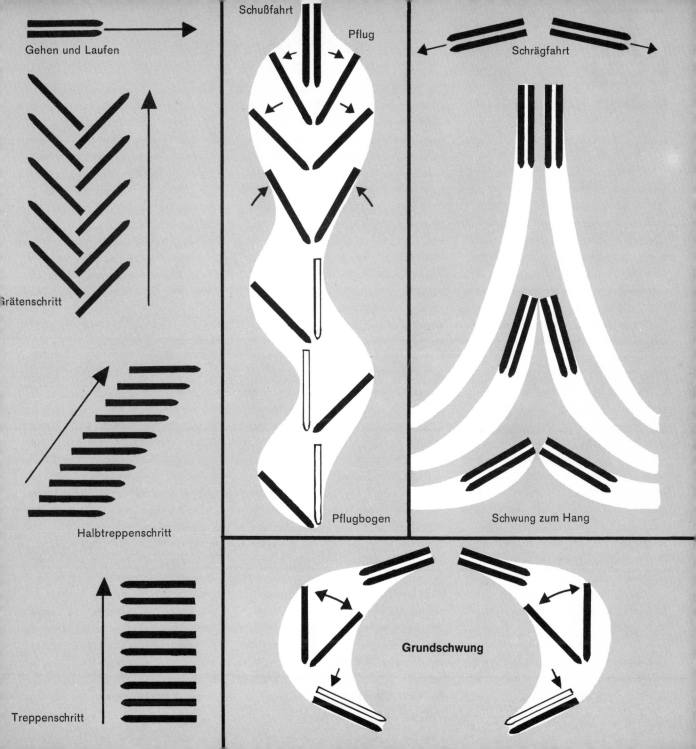

Gehen und Laufen

Grätenschritt

Halbtreppenschritt

Treppenschritt

Schußfahrt

Pflug

Pflugbogen

Schrägfahrt

Schwung zum Hang

Grundschwung

Gehen und Laufen

Technik

Wenn wir unsere Ski angeschnallt haben, dann können wir uns durch normales Gehen am schnellsten an die zunächst so hinderlichen Ski gewöhnen. Man kann dadurch zusätzlich die ersten Gleiterfahrungen sammeln, die erste Form des Belastungswechsels und die Stützfunktion der Skistöcke kennenlernen. Mit Hilfe der richtigen Lauftechnik kann man sich in der Ebene zügig und relativ schnell auf Skiern vorwärtsbewegen. Beim **Gehen** versucht man, am Anfang die Ski in etwa hüftbreiter Spur abwechselnd nach vorne zu schieben, ohne daß sie irgendwie vom Schnee abgehoben werden. Der Bewegungsrhythmus entspricht dem natürlichen Gehen, d. h. das Gewicht des Körpers wechselt von einem Ski auf den anderen. Die Arme und Stöcke werden gegengleich zur Bewegung der Beine vorgeschwungen. Wenn man sich zügig und kraftsparend in der Ebene fortbewegen will, dann sollte man unbedingt den **Diagonalschritt** und den **Doppelstockschub** erlernen. Die Bewegungsfolge des Diagonalschritts entspricht grundsätzlich der beim Gehen. Jedoch werden die Abstoß-, Schwung- und Gleitphase ungleich stärker betont. Aus dem relativ aufrechten Gehen wird ein schwungvolles und raumgreifendes Schreiten und Laufen, in erster Linie durch ein aktives Beugen und Strecken im Hüft-, Knie- und Fußgelenk eines Beines (Abstoßbein) und gleitendem Vorwärtsschieben des anderen Beines (Gleitbein) im Schnee. Der Stockeinsatz — jeweils etwa kurz vor der Fußspitze des vorderen Beines eingesetzt — trägt wesentlich zur Fortbewegung bei. Ein flüssiger Bewegungsrhythmus ist kraftsparender. Läuft man in leicht fallendem Gelände oder bei schnellerem Schnee in der Ebene, kann man zusätzlich noch den sogenannten Doppelstockschub zur Beschleunigung anwenden. Dazu werden beide Stöcke gleichzeitig nach vorn geschwungen und vor den Füßen im Schnee eingesetzt. Dann wird zuerst der Körper an die Stöcke herangezogen (Zugphase), gleichzeitig beugt sich der Körper. Befinden sich die Skistöcke in Höhe der Hüfte, erfolgt ein kräftiger und explosiver Druck der Arme nach hinten (Druckphase). Danach richtet sich der Körper wieder auf. Der Doppelstockschub kann mit einem oder mehreren beschleunigenden Voraus-Schritten kombiniert werden. Zusätzlich kann gelegentlich noch der **Schlittschuhschritt** angewendet werden. Dieser ist auf kürzeren, ebenen Strecken zwar schneller, aber auch anstrengender.

Wichtig: Diagonalschritt: stets auf einem Ski gleiten, das vordere Knie soll senkrecht über dem Gleitski stehen. Streckung des Abstoßbeines, Hüfte vorschieben.

Immer versuchen rhythmisch zu laufen. Durch intensives Gehen und Laufen in der Ebene kann man sich konditionell recht gut auf das Skilaufen vorbereiten.

Gelände und Schnee

Zuerst ebenes, später abwechslungsreiches Gelände, führiger Schnee.

Training im Schnee

■ Die ersten Schritte auf Ski macht man am besten in einer guten Spur (Gehen mit und ohne Stöcke).

■ Kleine Wanderungen (eventuell vom Parkplatz zum Skigelände) bieten die beste Gelegenheit zum »Einlaufen«.

■ Diagonalschritt:
Aus dem Gehen versucht man durch allmähliche Verstärkung des Abstoßes zu einem längeren Gleiten zu kommen. Das ausgeprägte Beugen und Strecken der Beine und harmonische Zusammenspiel von Bein- und Armbewegung aus einem flüssigen Bewegungsrhythmus entwickeln.

en in der Ebene

Armschwingen

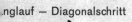
ungwechsel im Ausfallschritt

nglauf — Diagonalschritt

Abstoßphase   Schwungphase   Gleitphase

Doppelstockschub in
leicht fallendem Gelände

Armschwingen mit Beugen
und Strecken des Rumpfes
und der Beine

Skilanglauf – Doppelstockschub in Verbindung mit einem Vorausschritt

Armschwingen in Verbindung
mit Gehschritten

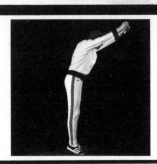

- Laufen im Diagonalschritt mit und ohne Stöcke, immer schwungvolle gegengleiche Armbewegungen machen, in der Ebene und in welligem Gelände.
- Doppelstockschub: Zuerst versucht man den Doppelstockschub in leicht fallendem Gelände aus dem parallelen Gleiten heraus.
- Doppelstockschub in Verbindung mit einem oder mehreren Voraus-Schritten.
- Schlittschuhschritt mit und ohne Stöcke.
- Längere Läufe mit Anwendung von Diagonalschritt, Doppelstockschub und Schlittschuhschritt.
- Gelegentlich Langlauf im Gelände durchführen.

Derjenige, der Spaß am Langlauf gefunden hat, sollte sich aber unbedingt eine richtige Langlauf-Ausüstung anschaffen. Bei Wettkampfinteresse ist es unumgänglich, sich intensiv mit Technik und Training des Skilanglaufs zu befassen.

Training zuhause

- Aus dem leicht gebeugten Stand (Beine nebeneinander) schwungvolles Armschwingen als Vorübung für Gehen und Laufen.
- Vorwärtsgehen mit bewußtem Schleifen der Beine am Boden.
- Training des Abstoßes: aus mittlerer Beugestellung heraus

kräftige Streckbewegung eines Beines in Hüft-, Knie- und Fußgelenk (nacheinander) und gegengleichem Vorhochschwingen eines Armes. Mehrmals hintereinander nach einer Seite üben, dann im Wechsel links und rechts, im Stand und im Vorwärtsgehen.
- »Diagonalschritt«: Sprungwechsel mit Ausfallschritt.
- »Doppelstockschub«: im Stand und in Verbindung mit Gehschritten üben.
- Schlittschuhschrittspringen: Wechsel von kleineren (schnelleren) und größeren (langsameren) Sprüngen.

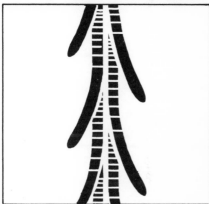

Schlittschuhschrittspringen mit betontem Auspendeln des hinteren Beines

Aufsteigen

Technik
Jeder Skiläufer sehnt sich nach längerem Gehen und Laufen in der Ebene danach, die ersten Schuß-fahrten zu riskieren. Vorher muß man aber die Aufstiegsarten beherrschen, denn der erste (skiläuferische) »Auf-stieg« wird kaum mit dem Lift unter-nommen werden können. Wir trai-nieren zwei Formen:

■ den Grätenschritt
■ den Treppen- bzw. Halbtreppen-schritt.

In leicht ansteigendem Gelände wen-det man am besten den **Grätenschritt** an. Dazu muß man die Ski vorne öffnen — je steiler der Hang desto größer der Winkel —. Die Ski werden dann beim Aufsteigen abwechselnd kräftig mit den Innenkanten in den Schnee gedrückt, jeweils ein Skiende wird über das andere gehoben, Be-lastungswechsel und wechselseitige Stockstütze erleichtern die Bewegung. Im steileren Gelände ist im kraft-sparenden **Treppen-** bzw. **Halb-treppenschritt** aufzusteigen. Die Be-wegung des Treppenschritts ent-spricht genau dem üblichen Treppen-steigen, nur seitwärts ausgeführt. Sie braucht deshalb nicht näher erklärt zu werden. Der Halbtreppenschritt ist die Verbindung von Treppenschritt und normalem Vorwärtsgehen.
Wichtig: Rhythmisches Steigen mit aktivem Belastungswechsel.
Kräftiges Einkanten der Ski (Knie einwärts oder bergwärts drücken).
Bei längeren Aufstiegen in Serpen-tinen gehen. (Kräfte einteilen!)

Training im Schnee
Die einfachste Form des Aufsteigens ist der sog. **Stampfschritt.** Dieser braucht aber nicht besonders trainiert zu werden.
■ Im leicht steigenden Gelände: Anwendung des Grätenschritts.
■ Im steileren Gelände: Halb-treppenschritt.
■ Im steilen Gelände: Treppen-schritt.
Die Aufstiegsarten übt man am be-sten auf dem Weg zur ersten kleinen Abfahrt.
Für den Anfänger dienen sie außer-dem zum Aufwärmen vor der ersten Abfahrt.

Training zuhause
■ Grätenschritt: Vorwärtsgehen auf der Innenkante der Schuhe im Grätenschritt
■ Treppenschritt: Seitliches Gehen mit Nachstellschritt und kräftigem Kanten der Füße.
■ Treppensteigen seitwärts.

Halbtreppenschritt

Kantengehen vorwärts

Kantengehen seitwärts

Grätenschritt

Treppenschritt

Wenden

Technik

Richtungsänderungen im Stand, sei es in der Ebene oder im steileren Gelände, macht man am besten mit Hilfe der sog. »Spitzkehre«. Wir unterscheiden zwei Formen: Wende talwärts und bergwärts. Das Wenden erfordert ein bißchen Beweglichkeit (vor allem im Hüftgelenk) sowie Gleichgewichtsgefühl. Man soll sie deshalb richtig trainieren, sonst kann man im steileren Gelände Schwierigkeiten bekommen (vor allem im tieferen Schnee). Wichtig ist zunächst, daß man beim Wenden immer drei Stützpunkte hat. Aus dem Stand schwingt man zuerst ein Bein vorhoch und legt den Ski sofort parallel um in die neue Richtung. Danach wird das andere Bein und ein Stock sofort nachgedreht. Bei der **Wende talwärts** stützt sich der Skiläufer auf die Stöcke bergwärts und schwingt zuerst den Talski hoch. Bei der **Wende bergwärts** stützt man sich auf die Stöcke talwärts und schwingt zuerst den Bergski hoch.

Wichtig: Immer drei Stützpunkte haben.

Schwunghaftes Wenden des Skis ohne langes Aufstützen.

Die Ski immer quer zur Fallinie stellen. Richtig auf die Stöcke stützen. Im steilen Gelände nur talwärts wenden (bergwärts besteht die Gefahr des Hängenbleibens!).

Training im Schnee

- Vorübung: Aus dem Stand, in der Ebene, mit guter Stockstütze mehrmaliges wechselseitiges Anheben und Vorhoch-Schwingen eines Skis.
- Wenden talwärts und bergwärts in der Ebene.
- Wenden talwärts und bergwärts in jedem Gelände, in Verbindung mit Aufsteigen üben.

Mit kürzeren Lernskiern ist das Wenden kein Problem. Mit dem bisher üblichen langen Skiern ist das Wenden ziemlich mühsam und nicht gerade ungefährlich.

Training zuhause

- Lockeres, wechselseitiges Vor- und Rückspreizen eines Beines.
- Schwunghaftes Achterschwingen, abwechselnd mit dem linken und rechten Bein.

Zur besonderen Gleichgewichtsschulung auch mal mit geschlossenen Augen trainieren!

Wende talwärts

Vor- und Rückspreizen eines Beines

Wende bergwärts

Bein-Achterschwingen

Schußfahrt

Technik

Die Schußfahrtstellung, die man bei der Fahrt in der Fallinie einnimmt, ist eigentlich die Grundfahrstellung des Skiläufers. Diese Körperstellung darf keine »Haltung« sein. Je lockerer sie ist, umso besser. Beide Ski liegen — gleichmäßig belastet — völlig flach auf dem Schnee (Stand auf der ganzen Sohle). Die Skistellung kann am Anfang ruhig offen sein, d. h. falls es zur besseren Gleichgewichtserhaltung notwendig ist. Fuß-, Knie- und Hüftgelenke werden leicht gebeugt, so weit, daß man Geländeunebenheiten sowohl durch Beugen als auch durch Strecken ausgleichen kann. Die Körperachse soll

sich möglichst immer der Neigung des Geländes anpassen, sie steht normalerweise immer rechtwinklig zur Neigung des Hanges. Manchmal ist es erforderlich, mehr **Vorlage** (Ballendruck) einzunehmen, manchmal mehr **Rücklage** (Fersendruck) zu haben. Die Stöcke werden mit den Stockspitzen nach hinten getragen, und zwar so weit seitlich vom Körper, daß sie auch bei höherem Tempo zur besseren Balance beim Fahren beitragen können.

Das Befahren von verschiedenen **Geländeformen** bedingt ganz besondere Anpassungsbewegungen (Siehe Grafik S. 72). Will man besonders schnell fahren, nimmt man eine aerodynamisch günstige Fahrstellung ein (»Eiform«). Voraussetzung für schnelle Schußfahrten ist jedoch eine gewisse Sicherheit auf Ski. Man soll sie deshalb erst nach den ersten »Bremsversuchen« riskieren.

Wichtig: Die Ski sollen völlig flach, gleichmäßig belastet gleiten.
Lockere Fahrstellung.
Der Kopf schaut in Fahrtrichtung!

Gelände und Schnee

Ganz flacher Hang mit ebenem Standplatz zum Losfahren. Auslauf so, daß man von selbst zum Halten kommt. Führiger Schnee, kein Tiefschnee, keine harte Piste. Später steileres Gelände.

Training im Schnee

- Lockeres Abfahren am flachen Hang mit und ohne Stöcke (offene Skistellung).
- Abfahren mit federndem Beugen und Strecken der Beine, bis zum Sprung steigern.
- Abfahren mit Wechsel von Vor- und Rücklage.
- Abfahren in der tiefen Hocke.
- Abfahren auf einem Ski: ein Skiende vom Schnee abheben, Skispitze bleibt am Boden.
- Abfahren und seitlich aus der Spur treten, nach links und rechts.
- Später: Abfahren in steilerem Gelände, auch in »Eiformstellung«.

Training zuhause

- In der Schußfahrtstellung (Stand auf der ganzen Sohle) weiches Federn und Wippen, gleichmäßige Beugung der Gelenke.
- Dasselbe auf einem Bein, abwechselnd links und rechts.
- Wechsel zwischen aufrechter Schußfahrtstellung und tiefer Hocke.
- Wechsel zwischen Kniestand und Schußfahrtstellung.
- In der Eiformstellung federn.
- Wechsel von Kniestand und Eiform.
- Wechselndes Einnehmen von verschiedenen Fahrstellungen aus dem Laufen heraus.

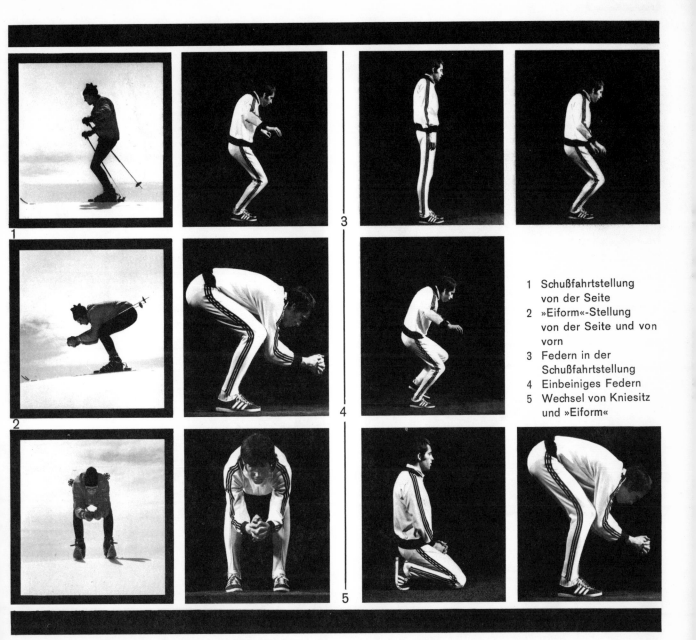

1 Schußfahrtstellung
von der Seite
2 »Eiform«-Stellung
von der Seite und von
vorn
3 Federn in der
Schußfahrtstellung
4 Einbeiniges Federn
5 Wechsel von Kniesitz
und »Eiform«

Befahren von Kante (vorgehen) und Knick (aufrichten)

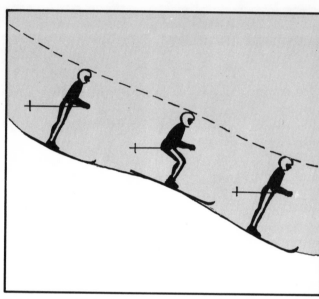

Befahren von Welle (schlucken) und Mulde (durchstrecken)

Tiefschnee – Piste (vorgehen) Piste – Tiefschnee (aufrichten)

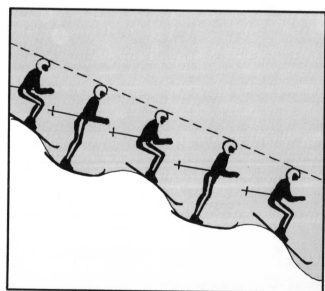

Befahren von Bodenwellen (schnell schlucken)

Fallen und Aufstehen

Technik

Beim Skilaufen muß man leider gelegentlich »Bekanntschaft« mit dem Schnee machen, früher oder später. Das trifft den Anfänger genauso wie den Könner. Um darauf vorbereitet zu sein, sollte man schon vorher wissen, wie man richtig fällt und wie man wieder aufsteht. Da man nie vorher weiß, ob die Sicherheitsbindung auch aufgeht, sollte man im Fallen noch versuchen, den Sturz zu kontrollieren. Also kein passives »Fallenlassen«, sondern mit möglichst gestrecktem Körper aufkommen, sich zum Hang hindrehen und abrutschen lassen. Die Arme können die Wucht des Stürzens wesentlich auffangen. Vor dem Aufstehen empfiehlt es sich, die Ski, vor allem im steileren Gelände, grundsätzlich **waagrecht** zu stellen (d. h. quer zur Fallinie) und etwas in den Schnee zu drücken, um ein Abrutschen auszuschließen. Dann nimmt man einen Stock zur Hilfe, der vor dem Körper bergwärts eingestützt wird, zieht die Beine an und versucht mit einem Ruck sich hochzudrücken zum Stand.

Wichtig: Beim Fallen den Körper strecken, die Beine zusammenhalten und weg vom Schnee heben; mit den Armen den Sturz zuerst auffangen und abbremsen.

Die Verletzungsgefahr wird umso größer, je mehr man die Knie beugt. Beim Aufstehen: die Ski talwärts quer zur Fallinie stellen, mit Schwung und seitlichem Armabdruck aufstehen.

Gelände und Schnee: Der Situation entsprechend.

Training im Schnee

- Das Fallen sollte man im Schnee nicht direkt trainieren, also ohne einen »Anlaß« dazu zu haben. Ist ein Sturz jedoch gelegentlich nicht vermeidbar, dann wie beschrieben reagieren.
- Das Aufstehen im flachen und steilen Gelände, auf der Piste und im Tiefschnee muß man oft nach beiden Seiten üben.

Training zuhause

Fallübungen kann man zuhause sehr gut trainieren:

- Aus dem Stand fallenlassen seitwärts, vorwärts und rückwärts. Immer mit den Armen den Sturz abfangen, elastisches Abrollen, Beine abheben vom Boden und sofort auf gleichem Wege aufstehen.
- Fallen und Aufstehen auch aus dem Gehen und Laufen trainieren.

Aufstehen und Hochstützen aus dem Schnee

Fallenlassen aus dem Stand und Abfangen mit dem Arm

Pflug

Technik

Wenn man will, dann kann man den Pflug als erste »Bremstechnik« für den Anfänger bezeichnen. Der Pflug ist außerdem die erste Vorübung für den Pflugbogen (S. 80), Pflugschwung (S. 88), Grundschwung (S. 88) und Umsteigeschwung (S. 98). Auf keinen Fall darf die Pflugstellung eine starre Haltung oder gar eine Zwangsstellung sein. In der »normalen« Pflugstellung sind beide Skienden ausgewinkelt, die Skispitzen etwa eine Handbreite auseinander und beide Ski gleichmäßig belastet. Es ist ratsam die Winkelstellung nicht zu weit zu machen, dafür drückt man besser die Knie vorwärts-einwärts in eine leichte X-Beinstellung. Dadurch werden die Ski nach innen gekantet. Der Oberkörper nimmt eine ungezwungene Stellung ein, die Stöcke werden seitlich getragen. Zwei Dinge sind beim Pflug zu trainieren:

- Wie kommt man aus der Schußfahrt in die Pflugstellung?
- Wie kommt man aus der Pflugstellung zur Schußfahrt?

Schußfahrt – Pflug: Aus der zunächst offenen Schußfahrtstellung, die Knie leicht gebeugt, geht man hoch und sofort tief. Beim Tiefgehen (Entlastung) werden die Skienden nach außen geschoben (beidseitiger Fersenschub), während gleichzeitig die Knie vorwärts-einwärts gedrückt werden (stärkeres Aufkanten).

Pflug – Schußfahrt: Aus der Pflugstellung schließt man die Ski, indem man etwas hoch geht. Dabei löst sich automatisch der Kantengriff, man kann so allmählich die Ski zusammenlaufen lassen.

Wichtig: Lockere, zwanglose Pflugstellung. Keine zu große Winkelstellung der Ski (Knie vorwärts-einwärts drücken).

Schußfahrt – Pflug: x-beinig öffnen.

Pflug – Schußfahrt: o-beinig schließen.

Die Drehmöglichkeit der Unterschenkel nach außen ausnützen.

Der einbeinige, beidseitige Fersenschub steht im Mittelpunkt des Übens. Das Pflugfahren nicht übertreiben, da es sehr anstrengend ist!

Gelände und Schnee

Flacher, griffiger Hang mit Auslauf, wo man allein zum Stehen kommt. Kein Tiefschnee.

Training im Schnee

- Zuerst übt man im Stand den Wechsel zwischen Pflugstellung und Schußfahrtstellung durch rhythmisches Springen.
- Anfahrt in der Schußfahrt (offene Skistellung), durch eine Hoch-Tief-Bewegung die Skienden zur Pflugstellung auseinanderschieben, dann »Gleitpflug« bis zum Halten.
- Wie vorher, jedoch aus der Pflugstellung die Ski wieder zur Schußfahrtstellung durch leichtes Aufrichten zusammenlaufen lassen.
- Wie vorher, aber in der Pflugstellung beidseitiges Fersenschieben mehrmals hintereinander.
- Wechsel zwischen Gleitpflug und Bremspflug.
- In der Pflugstellung wechselseitiges Fersenschieben üben.

Training zuhause

- Rhythmisches Pflugspringen: Wechsel der Winkelstellung, einmal kleiner, einmal größer, langsamer und schneller, mit und ohne Nachfedern.
- Federn in der Pflugstellung, mit Armschwingen.
- Aus dem leicht gebeugten Stand, die Beine hüftbreit geöffnet, hochgehen und beim Tiefgehen die Fersen nach außen drehen.
- Aus der Pflugstellung Schließen der Beine, beim Schließen die Fußsohlen am Boden schleifen lassen. Dann wieder zur Pflugstellung zurückspringen.
- Pflugstellung: Springen mit Schließen der Beine in der Luft.

Pflugspringen

Schußfahrt — Pflug

Pflug   tief

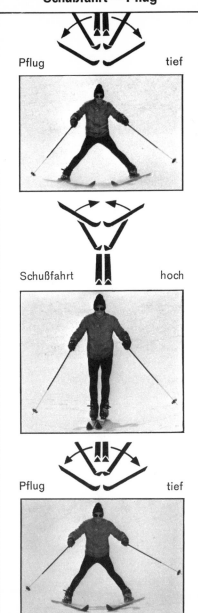

Schußfahrt   hoch

Pflug   tief

Fersendrehen

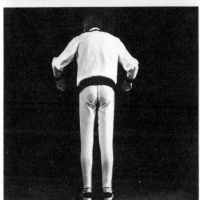

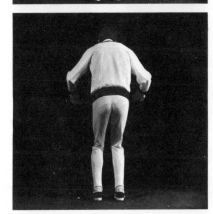

hoch

tief

hoch

tief

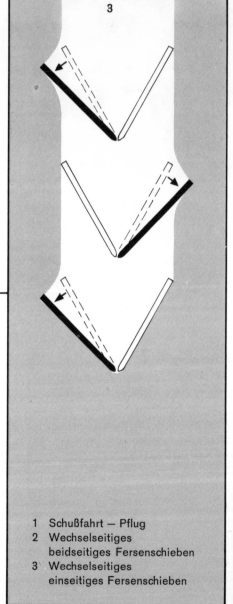

1 Schußfahrt — Pflug
2 Wechselseitiges
   beidseitiges Fersenschieben
3 Wechselseitiges
   einseitiges Fersenschieben

Pflugbogen

Technik

Der Pflugbogen ist die erste Richtungsänderung in der Pflugstellung. Aus der Pflugfahrt wird durch eine rhythmische Hoch-Tief-Bewegung ein Bogen an den anderen gereiht. Beim Tiefgehen wird der jeweils bogenäußere Ski durch einen einbeinigen Fersenschub aus der Richtung gedreht. In der gleichen Richtung beugt sich der Oberkörper gleichzeitig entsprechend vorwärts seitwärts. Das bewirkt eine zusätzliche Belastung und Beschleunigung der Drehung. Fersenschub nach rechts, Bogen nach links und umgekeht.

Im Verlauf des Bogens wird durch die stärkere Beugung des äußeren Knies ein verstärkter Kanteneinsatz erzielt.

Wichtig: Rhythmische Hoch-Tief-Bewegung, d. h. Knie- und Sprunggelenk des bogenäußeren Beines werden jeweils mehr gebeugt (Fersenschub).

Die Außenlage des Oberkörpers darf nicht übertrieben und muß der Beinbewegung angepaßt werden. Beim Pflugbogen nicht zu weit aus der Fallinie fahren.

In der Pflugstellung nicht zu weit auswinkeln, dafür mehr auf der Kante fahren.

Gelände und Schnee

Flacher, griffiger Hang mit Auslauf, später auch einfache Lifthänge.

Training im Schnee

- Zuerst im Stand, in der Pflugstellung, die rhythmische Pendelbewegung des Oberkörpers versuchen.
- Durch rhythmische Hoch-Tief-Bewegung mehrere Bögen nahe der Fallinie aneinanderreihen.
- Pflugbögen durch Vertikaltore fahren, mit Betonung des einbeinigen Fersenschubs.
- Kleine Abfahrten mit Liftbenützung, mit wechselndem Rhythmus.

Training zuhause

- In der Pflugstellung Fersen nach außen gedreht, Fußspitzen nach innen, Beine leicht gebeugt, die rhythmische Pendelbewegung des Oberkörpers üben. Die Hüfte bleibt dabei möglichst ruhig.
- Wie vorher, jedoch mehr und mehr die Pendelbewegung des Oberkörpers mit der Hoch-Tief-Bewegung verbinden.
- Die stärkere Beugung des äußeren Beines besonders beachten!
- Wie vorher, die Hände in die Hüften gestützt.
- Wie vorher, aber die Arme in Seithalte (Flieger).
- Wie vorher, jedoch jeweils mit der äußeren Hand seitlich an das Knie greifen und dieses verstärkt beugen.

Tiefbewegung

Hochbewegung

Tiefbewegung

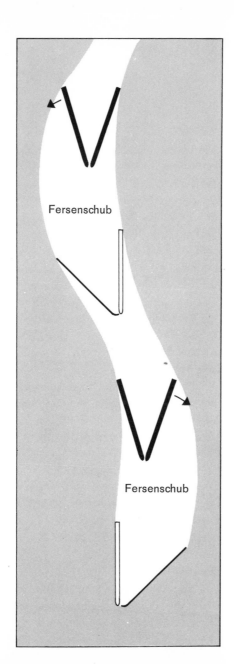

Fersenschub

Fersenschub

Schrägfahrt

Technik

Wenn man einen Hang schräg überqueren will, muß man eine Schrägfahrt machen. Dabei nimmt man eine Schrägfahrtstellung ein, die sich auf der Grundfahrstellung des Skiläufers aufbaut. Um Schrägfahren zu können, müssen die Bergkanten der Ski verstärkt eingesetzt werden, um nicht seitlich abzurutschen. Die Ski sind parallel, zunächst leicht geöffnet, die Knie werden zum Aufkanten vorwärts-bergwärts gedrückt. Der Oberkörper nimmt als Ausgleich dazu eine sog. Hangaußenlage ein. Die Stöcke werden seitlich vom Körper getragen. **Wichtig:** Die Schrägfahrtstellung hat sich nach der Neigung des Hanges zu richten: Je steiler und glatter der Hang, desto stärker müssen die Ski gekantet werden. Normalerweise beidbeinige Skibelastung, je steiler der Hang, umso mehr **Talskibelastung.** Die Hangaußenlage (Vor-Seitbeuge) des Oberkörpers soll sich der Beinbewegung anpassen.

Die Verwindungsbewegung der Hüfte, und damit das mehr oder minder weite Vorschieben des Bergskis richtet sich ebenso nach Hangneigung. Es gibt keine starre Schrägfahrstellung, sondern nur eine bewegungsbereite Fahrstellung, die immer dem Gelände angepaßt werden soll.

Gelände und Schnee

Aus der Ebene allmählich ansteigender Hang, gut getretener Schnee.

Training im Schnee

- Standübung: Wechsel zwischen Schußfahrt- und Schrägfahrtstellung im leicht geneigten Gelände
- Schrägfahrt nach links und rechts fahren.
- Schrägfahren in jedem Gelände.

Zur Korrektur:

Schrägfahren mit mehrmaligem Abheben des Bergskiendes (bis zum Schuhrand). Schrägfahren, dabei weit mit dem Talstock nach außen greifen.

Training zuhause

- Wechsel von Schußfahrtstellung und Schrägfahrtstellung. Besonders auf die Kniebewegung vorwärts-einwärts (Kantengriff) Wert legen.
- Wechsel von Schrägfahrtstellung rechts und Schrägfahrtstellung links, dabei die Vorseitbeuge des Oberkörpers trainieren.
- Zur Hüftbeweglichkeit: alle Formen des Rumpfseitbeugens in Verbindung mit der Schrägfahrtstellung üben.

Schrägfahrt:
geschlossene Stellung

Schrägfahrt:
Abheben des Bergskiendes

Fersenschub und Schwung zum Hang

Technik

Fersenschub und Schwung zum Hang ermöglichen eine schwunghafte Richtungsänderung aus der Schrägfahrt. Darüber hinaus bilden sie die Grundlage für alle Schwungarten, die mit Fersenschub und Verwindung gefahren werden, in erster Linie also für den Parallelschwung. Der **Schwung zum Hang** ist ein gleichmäßig dosierter **Fersenschub.** Man versteht unter Fersenschub ein seitliches Wegschieben der Skienden aus der geraden Richtung. Fersenschub und Schwung zum Hang werden normalerweise durch eine Hoch-Tief-Bewegung der Beine aus der Schrägfahrt ausgelöst. Beim Tiefgehen (Entlastung) werden dann die Skienden talwärts aus der Richtung geschoben. Die Schwungsteuerung erfolgt durch ein dosiertes Aufkanten der Ski (Knie vorwärts-bergwärts) sowie durch eine entsprechende Verwindungsbewegung (Torsion) in der Hüfte gegen die Schwungrichtung. Durch die verschiedene Dosierung der Hoch-Tief-Bewegung und durch eine veränderte Anfahrtrichtung (von der Schrägfahrt bis zur Fallinie) entsteht entsprechend

ein kurzer, mittlerer oder langer Schwung.

Wichtig: Die Hochbewegung ist eine »Auftaktbewegung«, bewirkt ein Flachstellen der Ski aus der Schrägfahrt und ermöglicht ein weites Tiefgehen zum Auslösen des Schwunges. Die Tiefbewegung soll eine gleichmäßige Beugung der Fuß-, Knie- und Hüftgelenke ergeben: gleichmäßiger Fersenschub.

Seitliches Abrutschen der Ski durch Kanteneinsatz und Verwindung korrigieren. Erst beim Tiefgehen die Fersen nach außen schieben.

Zum Auslösen des Fersenschubes nicht die Hüfte oder das Gesäß (Rotation), sondern nur die Beine drehen.

Gelände und Schnee

Mittelsteiler Hang, nach außen gewölbt, griffiger Schnee; eine Geländekante oder ein Buckel erleichtern die Schwungauslösung.

Training im Schnee

■ Standübung: In der Schrägfahrtstellung die Stöcke stützend wie beim Wenden einsetzen, dann mit dem Bergskiende höher steigen, den Talski parallel nachstellen, Hochgehen (Auftakt) und Tiefgehen (Fersenschub), die Skienden talwärts schieben. Mehrmals nach einer Seite wiederholen.

■ Aus der Schrägfahrt, an einer Geländekante, einen kurzen Schwung zum Hang durch kräftige Hoch-Tief-Bewegung auslösen: Halteschwung. Meistens führt der erste Versuch, einen Halteschwung zu fahren, zu einem einfachen Rutschen. Mehrmaliges Rutschen nach beiden Seiten üben. Steigerung im Gelände und Aktivierung der Bewegung ergibt einen gesteuerten Schwung.

■ Mehrere kurze Fersenschübe in der Schrägfahrt durch Tief-Hoch-Tief-Bewegung aneinanderreihen.

■ Schwungfächer: Allmählich die Anfahrt in Richtung Fallinie steigern und so allmählich immer längere Schwünge fahren. Damit wird die Auslösung des Fersenschubes leichter, aber die Schwungsteuerung schwieriger.

■ Schwingen in jedem Gelände und Schnee. Auf besonders aktive Kantenführung achten!

Training zuhause

■ Hoch- und Tieffedern im Stand.

■ Aus dem Stand Hochgehen und Tiefgehen. Beim Tiefgehen die Fersen nach außen drehen. Mehrmals nach links und rechts üben.

■ Fersenschieben im Kreis: links herum und rechts herum.

■ Fersenschub in wechselndem Rhythmus.

Schwung zum Hang
Grobform

Schwung zum Hang
Feinform

Anfahrt   Schrägfahrt

hoch   Auftakt

tief   Fersenschub

Ausgangsstellung

Fersendrehen nach links   Hochgehen   Fersendrehen nach rechts

Standübung Fersenschub

Schwungsteuerung von

vorne   hinten

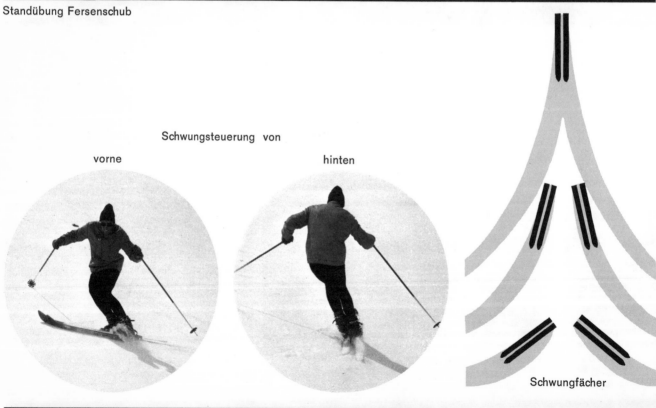

Schwungfächer

Grundschwung

Technik

Der Grundschwung stellt das Ziel der Anfängerstufe dar. Mit ihm gelingen uns die ersten geschwungenen Richtungsänderungen über die Fallinie, die Technik macht den Anfänger »geländegängig«. Dabei wird aus der Schrägfahrt über die Pflugstellung durch schwungvollen Belastungswechsel, Abstoß und Beidrehen des Innenskis ein Schwung gefahren. In der Aneinanderreihung mehrerer einfacher **Pflugschwünge** in Verbindung mit einer Schrägfahrt ergeben sich die ersten **Umsteigeschwünge.** Die Bewegungsfolge des Pflugschwunges muß als Vorübung zunächst trainiert werden: Aus der Anfahrt im Gleitpflug erfolgt ein Abstoß vom bogeninneren Ski (Hochgehen), dann Beisetzen und Tiefgehen. Beim Tiefgehen wird ein Schwung durch Fersenschub zum Halten gesteuert.
Wichtig: Der Grundschwung kommt durch die Aneinanderreihung einfacher Pflugschwünge zustande.
Die Richtungsänderung erfolgt durch Abstoß, Belastungswechsel und Beidrehen des Innenskis.
Aus der Schrägfahrt kommt man durch beidseitigen Fersenschub (Hoch-Tief-

Bewegung) in die Pflugstellung. Erst weite Grundschwünge, später kürzer ausgeschwungene fahren.
Eine offene Skistellung erleichtert beim Aussteuern das Skidrehen in der Schrägfahrt.

Gelände und Schnee

Leichte Lifthänge, wo man Gelegenheit zum häufigen Abfahren hat.

Training im Schnee

- Wiederholung des Pflugbogens: Training des Belastungswechsels durch dynamische Aneinanderreihung von Pflugbögen. (»Pflugwedeln«)
- Pflugschwung nach beiden Seiten fahren. Zunächst ohne Stockeinsatz, dann mit Stockeinsatz. Der Stockeinsatz unterstützt den Abdruck vom bogeninneren Ski und erleichtert das »Umsteigen« auf den Außenski. Der Stockeinsatz erfolgt aus einem Vorführen des schwunginneren Armes. Der Skistock wird zwischen Skispitze und Schuh seitlich vom Ski in den Schnee eingestützt.
- Pflugschwunggirlande: Mehrere Pflugschwünge in langsamer Fahrt aneinanderreihen.
- Grundschwung: Aneinanderreihung von Schrägfahrt, Pflug (beidseitiger Fersenschub), Pflugschwung, Schrägfahrt.

- Viele Abfahrten, gelegentlich auch durch Tore fahren.

Training zuhause

- Wiederholung des »Pflugbogens«.
- Training des »Pflugschwunges«.
- Aus der Pflugstellung im Stand Abdruck und Beidrehen zur Schrägfahrtstellung.
- Rhythmische Aneinanderreihung dieser Bewegung: Schrägfahrtstellung — Pflugstellung — Beidrehen — Schrägfahrtstellung.

Grundschwung

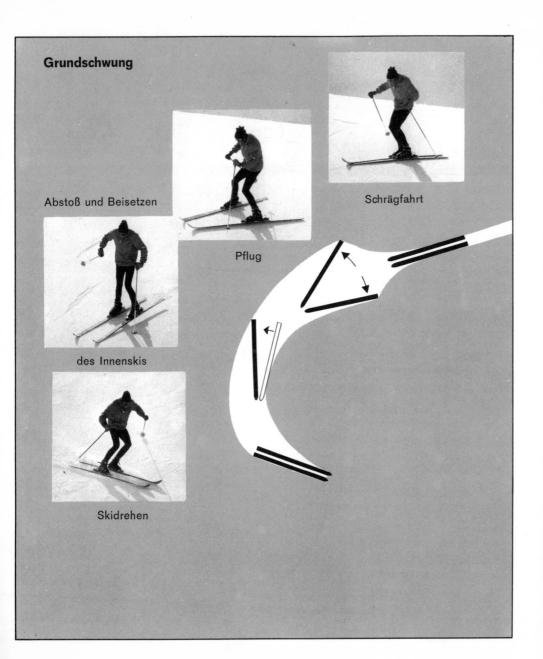

Abstoß und Beisetzen

des Innenskis

Pflug

Schrägfahrt

Skidrehen

Für Anfänger haben sich kürzere ▶
Lernski sehr bewährt

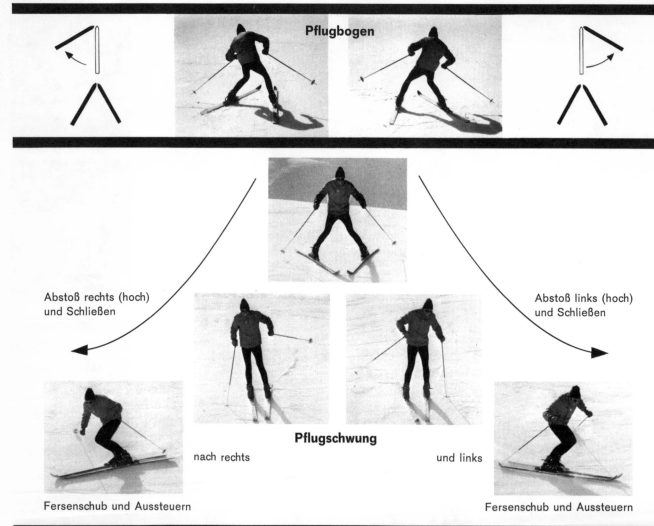

Pflugbogen

Abstoß rechts (hoch)
und Schließen

Abstoß links (hoch)
und Schließen

Pflugschwung

nach rechts

und links

Fersenschub und Aussteuern

Fersenschub und Aussteuern

Der Fortgeschrittene

Nach der vielseitigen Grundausbildung in der Anfängerstufe ist die Stufe der Fortgeschrittenen die Phase der Fortbildung. Es gibt drei Möglichkeiten weiterzumachen, die jeder Skiläufer nach seinen individuellen Ansprüchen auswählen kann:

- Aufbau zum Stemmschwung
- Aufbau zum Umsteigeschwung
- Aufbau zum Parallelschwung

Das heißt . . .

. . . für den Schüler:

Der **Stemmschwung** bietet dem Schüler immer Sicherheit im Gelände. Das kommt daher, weil man bei dieser Technik den Bewegungsablauf praktisch in mehrere Einzelteile zerlegen kann, deren Länge man selbst bestimmt. Das ist wesentlich für die Temporegulierung. Dieser Weg ist deshalb geeignet für ältere oder unsportlichere Personen, die, ohne Wert auf Tempo zu legen, eine sichere Technik, besonders auf Touren mit Gepäck, erlernen wollen. Der Aufbau zum **Umsteigeschwung,** eine Richtungsänderung mit einbeinigem Abstoß, ist von Anfang an

dynamisch. Ohne besonderen körperlichen Einsatz kommt man nicht voran. In der Praxis wird man häufig dazu gezwungen, mal auf einem Ski, also einbeinig, wenn auch nur kurzzeitig, zu fahren. Es muß also ebenfalls trainiert werden. Die Technik des Umsteigeschwunges ist speziell für sportlich trainierte Skiläufer, die dynamisch Skilaufen wollen, gedacht. Die dritte Möglichkeit ist das Erlernen des »klassischen« **Parallelschwunges,** nach wie vor das Ziel eines jeden Skiläufers und eigentlich die Basis für höhere Perfektion im Skilaufen.

. . . für den Lehrer:

In der Stufe der Fortgeschrittenen wird also der einbeinige und beidbeinige Abstoß für die Richtungsänderung trainiert. Beide Techniken sollen zunächst getrennt voneinander erlernt werden. Beim Aufbau zum Umsteigeschwung ist eine vorsichtige Dosierung des Übens zu empfehlen, da sonst die Schüler das Pensum nicht verkraften. Der Lernerfolg beim Parallelschwung steht und fällt mit dem möglichst frühzeitigen Gelingen paralleler Richtungsänderungen. Darin liegt z. B. die Bedeutung des Winkelspringens im flachen Gelände (das erste Wedeln). In der Fortbildung

sollte man hauptsächlich »**fahren**« und nicht Detailbewegungen der Technik am Übungshang »**schulen**«. Die Vorübungen beim Aufbau zum Parallelschwung sind deshalb nur jeweils dann anzuwenden, wenn tatsächlich Fehler oder Mängel auftreten. Schwerpunkt: Vielseitigkeit und Sammeln von Erfahrung auf Abfahrten.

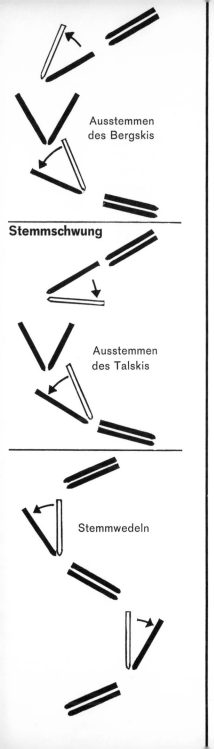

Stemmschwung

Ausstemmen
des Bergskis

Ausstemmen
des Talskis

Stemmwedeln

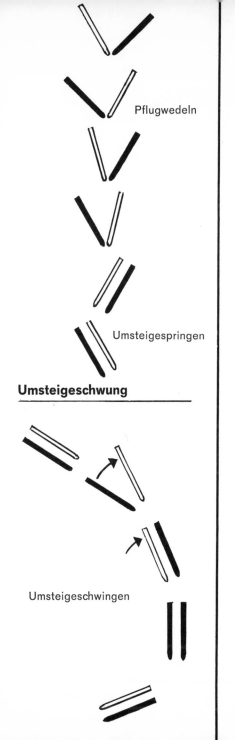

Pflugwedeln

Umsteigespringen

Umsteigeschwung

Umsteigeschwingen

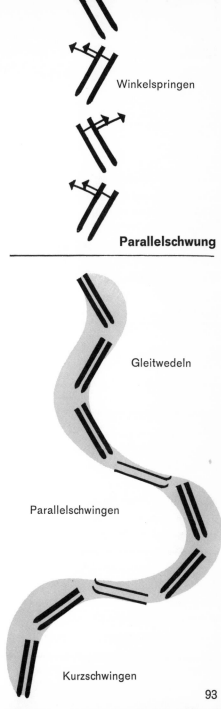

Winkelspringen

Parallelschwung

Gleitwedeln

Parallelschwingen

Kurzschwingen

93

Stemmschwung

Technik

Der Stemmschwung ist eine »klassische« Richtungsänderung, die es erlaubt, auch abseits der Pisten oder auf Touren mit Gepäck, noch zügig und sicher abzufahren (Touristenschwung). Die **Grundform** des Stemmschwunges führt bei langsamerem Tempo aus der Schrägfahrt durch bergseitiges Ausstemmen über eine mehr oder weniger lange Pflugphase wieder in die Schrägfahrt (durch Beisetzen und Fersenschub). Die **Feinform** verzichtet weitgehend auf die Pflugphase, da hierbei ein möglichst frühzeitiges paralleles Schließen der Ski vor der Fallinie angestrebt wird. Dafür wird die Schwungphase um so ausgeprägter bei langen Schwüngen. Eine besonders dynamische Form des Stemmschwunges ist das sog. »Stemmwedeln«, eine kurze und rhythmische Bewegungsfolge von Auswinkeln und Schließen der Ski, verbunden mit einem kräftigen Fersenschub (Querstellen der Ski). Es eignet sich in steilem und engem Gelände als sichere »Bremstechnik« nahe der Fallinie. Eine weitere Variante ist der Stemmschwung mit talseitigem Ausstemmen. Bei allen Formen unterstützt der Stockeinsatz den einbeinigen Abstoß. Bewegungserklärung:

Anfahrt in der Schrägfahrt, zuerst unbelastetes Auswinkeln des bergseitigen Skis (die Beugestellung der Beine bleibt gleich). Nun erfolgt ein Abstoß vom Talski (Hochbewegung = Entlastung) und anschließendes Beisetzen des bogeninneren Skis. Durch die sofortige Tiefbewegung nach dem Abstoß wird ein Fersenschub ausgelöst, der zum drehenden Aussteuern des Schwunges gesteigert wird.

Wichtig: x-beiniges Auswinkeln (Umkanten), o-beiniges Schließen der Ski.

In der Grundform lange Pflugphase, in der Feinform lange Schwungphase. Beim Stemmwedeln ein aktiv »tretendes« Auswinkeln in rhythmischer Folge aneinanderreihen. Belastungswechsel beachten! Der Stockeinsatz zwischen Bindung und Skispitze erfolgt immer erst nach dem Auswinkeln.

Gelände und Schnee

Mittelsteiler Hang, gute Piste, später jedes Gelände, abseits der Piste.

Training im Schnee

- Als Vorübung übt man zuerst den sogenannten Stemmschwung zum Hang, eine gestemmte Richtungsänderung in der Schrägfahrt.
- Stemmschwung zum Hang nach links und rechts fahren, auch in Aneinanderreihung (Stemmschwunggirlande).
- Stemmschwung in Grundform (lange Pflugphase) nach links und rechts fahren, immer mehr Schwünge aneinanderreihen.
- Durch viele Abfahrten wird sich sehr schnell die Feinform ergeben (lange Schwungphase).
- Stemmwedeln mit Betonung des dynamischen Rhythmus.
- Verfeinerungsübungen:
  1. Zum Belastungswechsel: Abheben des Innenskis in der Schwungphase.
  2. Zur Schwungsteuerung: mehrmaliges Fersenschieben bis zum Halten.

Training zuhause

- »Stemmschwung zum Hang«: Schrägfahrtstellung, Auswinkeln, Abstoß (hoch), Beisetzen und Schließen (tief) üben.
- »Stemmschwung«: Schrägfahrtstellung, Auswinkeln rechts zur Pflugstellung, Abstoß links (hoch), Beisetzen und Schließen (tief), Schrägfahrtstellung.
- »Stemmwedeln«: Rhythmisches und schnelles Auswinkeln — Umtreten und Schließen mit Tiefgehen, im Stand und in der Vorwärtsbewegung üben.

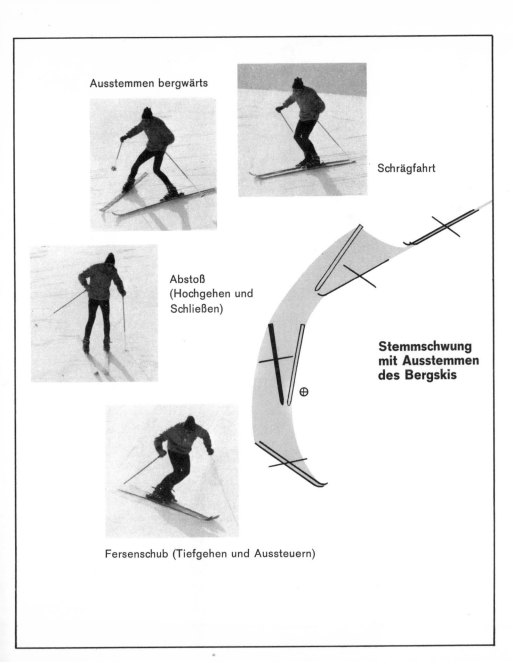

Ausstemmen bergwärts

Schrägfahrt

Abstoß
(Hochgehen und
Schließen)

**Stemmschwung
mit Ausstemmen
des Bergskis**

Fersenschub (Tiefgehen und Aussteuern)

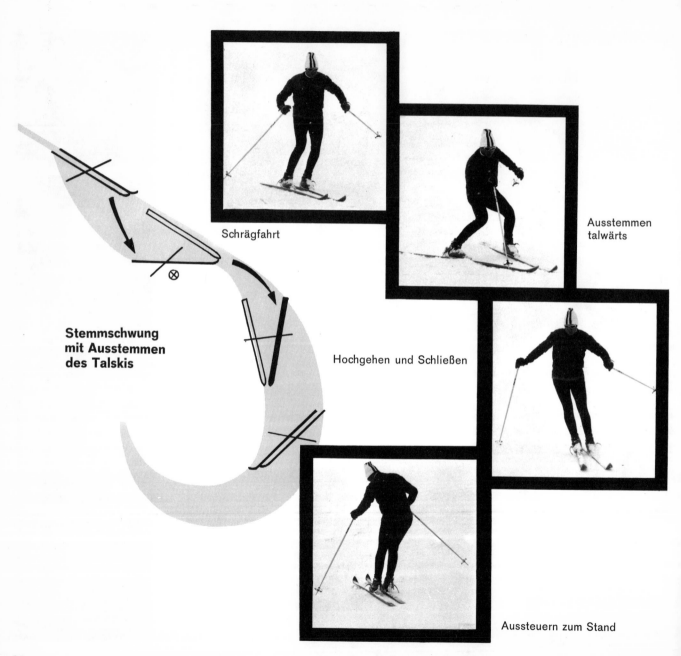

Schrägfahrt

Ausstemmen
talwärts

**Stemmschwung
mit Ausstemmen
des Talskis**

Hochgehen und Schließen

Aussteuern zum Stand

Stemmwedeln

Schrägfahrt

Auswinkeln

Fersenschub

Auswinkeln

Fersenschub

Umsteigeschwung

Technik

Der Umsteigeschwung in dieser Form ist von etwas sportlich trainierten Skiläufern sehr leicht zu erlernen. Er verlangt allerdings eine gute Kondition. Die Anwendung ist sehr vielseitig, vor allem eignet er sich durch die starke Kantenbelastung für harte Pisten. Die einfachste Form (Grundform) des Umsteigeschwunges kennen wir bereits als sogenannten »Grundschwung« (S. 88). Der Umsteigeschwung in der Feinform ist nahezu ein Parallelschwung (mit einer Tief-Hoch-Tief-Bewegung gefahren). Der kräftige Abdruck vom Talski — unterstützt durch den Stockeinsatz — kann auch kurz und schnellend sein (im Gegensatz zum Stemmschwung, wo ein gleichmäßiger Abstoß erfolgt). Aus der Schrägfahrt geht man tief und belastet verstärkt den Außenski. Jeder Schwung wird durch einen einbeinigen Abstoß vom Außenski ausgelöst und nach dem Skidrehen einbeinig auf der Kante des Außenskis ausgesteuert. Der Name der Technik entstand aus dem »Umsteigen« bei der Bewegung. Eine besonders dynamische Variante ist das sogenannte Umsteigekurzschwin-

gen im steilen Gelände, eine rhythmische Aneinanderreihung kurzer Umsteigeschwünge mit kräftigem Umsteigen. Sportliche Varianten des Umsteigens in der Renntechnik sind der Schrittschwung (S. 116), Klammerschwung (S. 118) und Innenskischwung (S. 120) auch mit Rücklage.

Wichtig: Starker, einbeiniger Abstoß von der Kante (Entlastung). Betontes »Umsteigen« mit deutlichem Belastungswechsel verbinden. Mehr oder weniger einbeiniges Aussteuern auf dem Außenski. Der Stockeinsatz muß den Abstoß wirksam unterstützen, er erfolgt deshalb weiter talwärts als sonst. Möglichst Rutschphasen beim Abstoß vermeiden (Kanteneinsatz!).

Gelände und Schnee

Zuerst flaches Gelände, später harte und steile Pisten jeder Art.

Training im Schnee

- Standübungen in der Ebene und beim Abfahren in der Fallinie: wechselseitiges Abheben des Skiendes, dabei Springen von einem Bein auf das andere. Der Stock unterstützt rhythmisch den Abstoß.
- »Pflugwedeln«, d. h. schnellerer und stärkerer Belastungswechsel als beim Pflugbogen. Der Abstoß wird beim Pflugwedeln bis zum »Umsteigespringen« gesteigert.

- »Umsteigespringen« mit Beisetzen des jeweiligen Abstoßskis.
- Durch vieles Üben führt dieses »Umsteigespringen« zum Umsteigeschwingen in mittelsteilem Gelände.
- Aus der Schußfahrt einen Ski parallel ausstellen und Umsteigen, mit Fersenschub den Schwung aussteuern.
- Umsteigeschwünge mit mittlerem Radius aneinanderreihen.
- Umsteigekurzschwingen in steilem Gelände, auf der Kante schneidend aussteuern.

Training zuhause

- Laufen auf der Stelle mit betontem Kniehebeln und Abspringen.
- »Pflugwedeln«: rhythmisches Pendeln des Oberkörpers nach links und rechts. Allmählich mit kräftigem Abstoß (Verstärkung der Hochbewegung) verbinden. Diese Übung bis zum Springen steigern. Im Stand und in der Vorwärtsbewegung üben.
- Kurzes Umsteigespringen mit bewußtem Beisetzen eines Beines.
- Aus der Schrägfahrtstellung Umsteigen (Abstoß) in die neue Schrägfahrtstellung.
- »Umsteigekurzschwingen«: kräftiges und schnelles Springen von einem Bein auf das andere in etwas gebeugter Körperstellung.

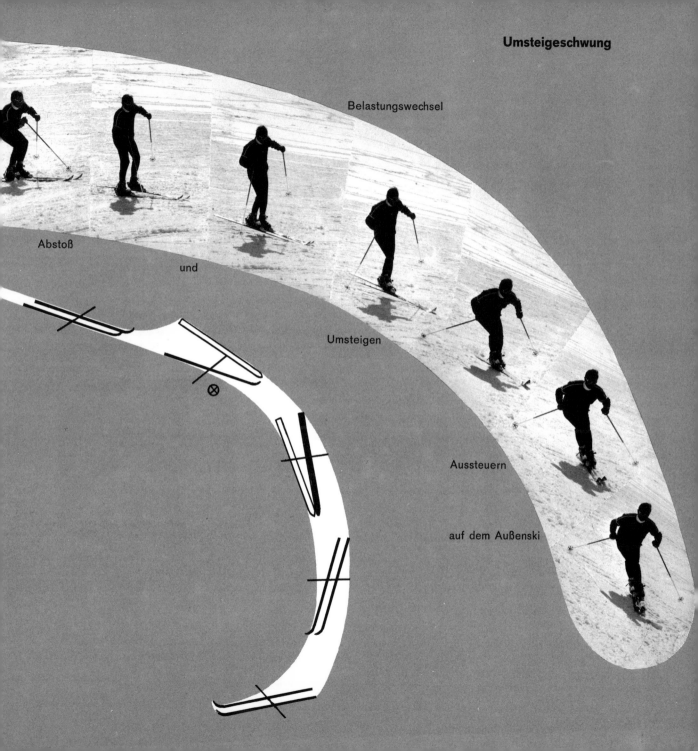

Umsteigeschwung

Belastungswechsel

Abstoß

und

Umsteigen

Aussteuern

auf dem Außenski

Standübung in der Ebene:
Wechselseitiges Springen von
einem Bein auf das andere

Pflugwedeln:
Betonung des Belastungs-
wechsels

Umsteigespringen in der Pflugstellung mit Stockeinsatz

Umsteigespringen mit Beisetzen
des Innenskis und Stockeinsatz

Aussteuern auf dem Außenski

Umsteigeschwingen in mittelsteilem
Gelände

Abheben des Innenskis

Parallelschwung

Kantenwechsel

Technik
Der Parallelschwung ist eine ratio-
nelle Richtungsänderung, die es ermöglicht, durch eine Tief-Hoch-Tief-
Bewegung mit beidbeinigem Abstoß
über die Fallinie zu kommen. In mittelsteilem Gelände wird aus der Schrägfahrt ein Fersenschub (Tiefbewegung)
ausgelöst, der durch Aufkanten be-
endet wird. Das Aufkanten ist notwendig für den darauffolgenden beid-
beinigen Abstoß (Hochbewegung)
und Kantenwechsel mit gleichzeitigem
Drehen der Ski in die neue Schrägfahrtrichtung. Ein sofortiger Fersenschub (Tiefbewegung) nach dem
Kantenwechsel dient zur Schwungsteuerung. Während des Richtungs-
und Kantenwechsels und beim
Steuern des Schwunges paßt sich der
Oberkörper der Bewegung entsprechend an (Hangaußenlage). Die Entlastung beim Abstoß wird durch den
Stockeinsatz unterstützt. In der **Grobform** des Parallelschwungs führt der
kräftige Abstoß zu einem Sprung. In
der **Feinform** wird die Tief-Hoch-Tief-
Bewegung so dosiert, daß ein fließen-
der Kantenwechsel erfolgen kann und
ein gleichmäßiger Schwungradius
entsteht. In der Aneinanderreihung

wird ein flüssiger Bewegungsrhythmus durch Tiefgehen (Fersenschub) —
Hochgehen (Kantenwechsel) — Tiefgehen (Fersenschub) versucht.
Wichtig: Zwei wesentliche Dinge sind
zu üben:
- Aufkanten und Abstoß,
- Kantenwechsel und Schwungsteuerung.

Ein beidbeiniger Abstoß ist im steileren Gelände nur dann möglich,
wenn die Ski vorher aufgekantet
werden (Knie vorwärts-bergwärts).
Vor dem Aufkanten müssen die Ski
durch Fersenschub (Tiefbewegung)
quergestellt werden.
Die Hochbewegung soll eine gleichmäßige Streckung von Fuß-, Knie- und
Hüftgelenk sein. Schnelle Streckung
führt zum Sprung (starke Entlastung).
Die Tiefbewegung nach dem Kantenwechsel soll unmittelbar nach der
Hochbewegung beginnen, damit ein
sofortiges Aussteuern oder Abfangen
des Schwunges einsetzen kann. Der
Stockeinsatz soll den Abstoß rhythmisch unterstützen, d. h. der Stock
muß rechtzeitig zum Abstoß beim
Tiefgehen »vorgeführt« werden
(nicht vorgeschwungen!). Die
Schwungsteuerung erfolgt durch die
Verwindungsbewegung der Hüfte und
die entsprechende Ausgleichsbewe-
gung des Oberkörpers.

Parallelschwung

Tiefbewegung

Schrägfahrt

Kantenwechsel

Hochbewegung

Tiefbewegung

Gelände und Schnee

Zuerst flaches, dann mittelsteiles Gelände (nach außen gewölbt). Geländehilfen: Buckel, griffiger Schnee.

Training im Schnee

- Zuerst muß der beidbeinige Abstoß und das weiche Auffangen nach dem Sprung geübt werden: Sprungübungen im Stand und bei der Fahrt in der Fallinie, mit und ohne Stockeinsatz.
- Die einfachste Form des Parallelschwungs ist das sogenannte Winkelspringen im flachen Gelände: d. h. rhythmische, beidbeinige Sprünge nach links und rechts mit den Skienden nach außen. Zuerst mit kleinem Sprungwinkel und offener Skistellung.
- Wiederholung des Schwungfächers.
- Schulung der weichen Landung: angesprungener Schwung zum Hang mit bergseitigem Stockeinsatz, bis zur Anfahrt aus der Fallinie steigern. Verfeinerung des Fersenschubes und der Skiführung.
- Aneinanderreihung mehrerer angesprungener Schwünge im flachen Gelände: erste Wedelversuche.
- Abbau des Springens: »Gleitwedeln«.
- Schulung des Aufkantens im Stand und aus der Schrägfahrt mit talseitigem Stockeinsatz in mittelsteilem Gelände.

- Parallelschwung in Grobform.
- Durch vieles Abfahren, durch Temposteigerung und freie Aneinanderreihung gelingen bald Parallelschwünge in Feinform.
- Im weiteren Training legen wir besonderen Wert auf die gleichmäßig dosierte Tief-Hoch-Tief-Bewegung und eine saubere »schneidende« Kantenführung. Verfeinerungsübungen: Sprunggirlande, Parallelschwünge mit mehrmaligem Fersenschieben während der Schwungsteuerung.

Training zuhause

- Rhythmisches beidbeiniges Springen (Beugen und Strecken).
- Rhythmisches Springen nach links und rechts mit und ohne Zwischenfedern (»Wedelspringen«).
- Aus der Schußfahrtstellung mehrmaliges Springen in die Schrägfahrtstellung (angesprungener Schwung zum Hang).
- Schulung des Aufkantens: Aus der Schrägfahrtstellung kräftig die Knie vorwärts-einwärts drücken. Nach links und rechts im Wechsel.
- Parallelschwung: »Beinedrehen« mit Tief-Hoch-Tief-Bewegung.
- Weitere Variationen: »Beinedrehen« beidbeinig in der Hocke, »Beinedrehen« einbeinig aufrecht und in der Hocke, »Beinedrehen« in der »Eiform«.

tief

»Gleitwedeln«
Kurze Parallelschwünge im
flachen Gelände mit Abbau
des Springens

tief

»Beinedrehen«
Fortlaufende Tief-Hoch-Tief-
Bewegung im Stand

tief

tief

hoch

hoch

Training des Aufkantens

105

»Ballenspringen« **Sprungvariationen** »Fersenspringen«

»Standwedeln« einbeinig:
Rhythmisches Drehen auf
einem Bein

»Standwedeln« beidbeinig:
Rhythmisches Drehen auf
beiden Beinen

»Standwedeln« in der Hocke:
Rhythmisches Drehen in der
tiefen Hocke

Kantenwechsel in der
»Eiform«:
Rhythmisches wechsel-
seitiges Aufkanten

Kanteneinsatz

Kurzschwung

Technik

Beim Kurzschwingen kann man durch eine flüssige Tief-Hoch-Tief-Bewegung kurze Schwünge nahe der Fall-linie aneinanderreihen und damit auch in engen und steilen Passagen sehr dosiert und beherrscht abfahren. Die Technik des Kurzschwunges unterscheidet sich grundsätzlich nicht von der des Parallelschwungs. Zwei Bewegungselemente sind wichtig:

- Die rhythmisch aktive Bewegungs-folge nahe der Fallinie.
- Der stärkere Kanteneinsatz und Abstoß.

Wichtig: Schnelles Beugen und Strecken von Fuß-, Knie- und Hüft-gelenken. Keine Pause in der Be-wegungsfolge einlegen.
Die Hochbewegung schnell beginnen, langsam ausklingen lassen.
Die Tiefbewegung langsam beginnen, zum Schluß steigern.
Das Aufkanten der Ski entsteht durch Vorwärts-Bergwärts-Drücken der Knie. Trotz entsprechender Aus-gleichsbewegung sollen der Oberkör-per und die Stockhaltung ruhig sein. Rhythmischer, wechselseitiger Stock-einsatz in Nähe der Skispitzen. Tempokontrolle nicht durch Seit-rutschen, sondern durch vermehrtes Kanten der Ski.

Gelände und Schnee

Mittelsteiles und steiles Gelände, alle Schneearten (Piste und Tief-schnee).

Training im Schnee

- Durch Verkürzung des Schwung-radius des Parallelschwungs er-reicht man die Grundform des Kurzschwungs.
- Mehrere Kurzschwünge nahe der Fallinie mit Sprunghilfe fahren.
- Sprunggirlande: Fersenschub — Aufkanten — Stockeinsatz talseitig — Zurückspringen in die Schräg-fahrt — Abfedern — Fersenschub.
- Kurzschwünge in Feinform mit wechselndem Rhythmus in jedem Gelände fahren.
- Schräghangkurzschwingen: Mehrere Kurzschwünge in der Schrägfahrt fahren. Dabei wird in erster Linie das Umkanten und der Fersenschub verbessert.

Training zuhause

- Rhythmisches »Wedelspringen«.
- »Kantenspringen« im Stand.
- Sprungvariationen: Springen auf der Ferse (Fersen-springen), Springen auf der gan-zen Sohle, Springen auf dem Bal-len (Ballenspringen). Siehe S. 106.

Kurzschwung auf der Piste
mit Tief-Hoch-Tief-Bewegung und Fersenschub

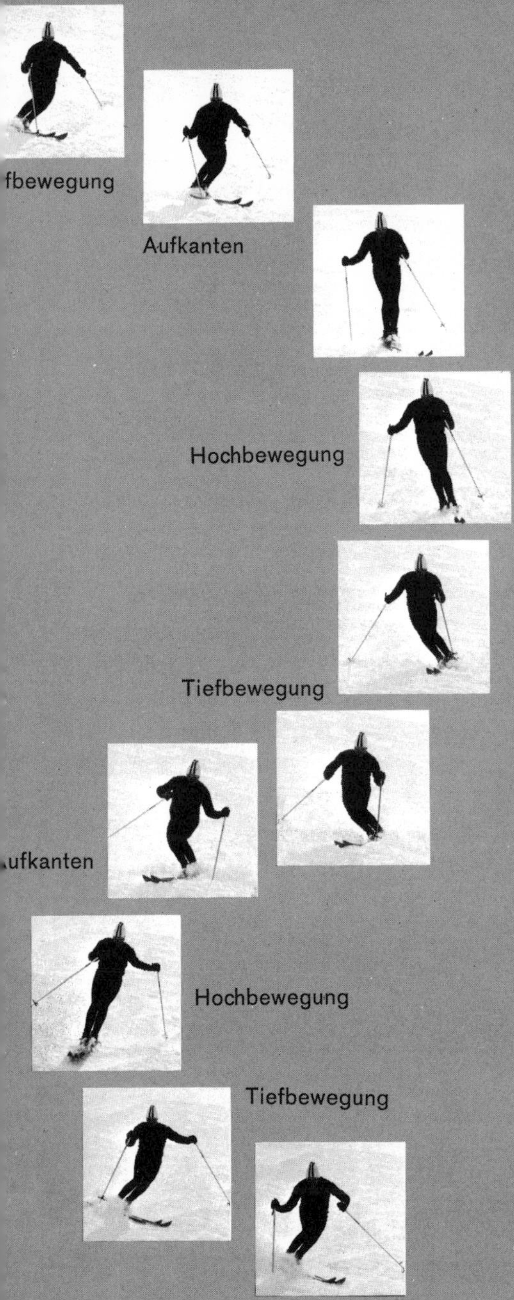

fbewegung

Aufkanten

Hochbewegung

Tiefbewegung

ufkanten

Hochbewegung

Tiefbewegung

Aufkanten

»Wedelspringen«

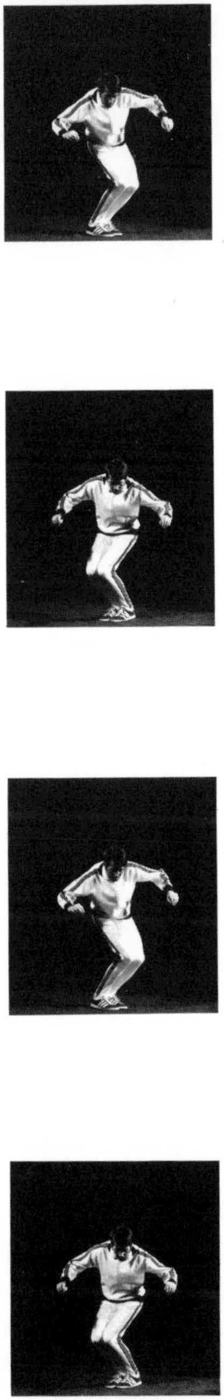

Kurzschwung im Tiefschnee
mit Rücklage und Skidrehen

Rücklage

Skidrehen

Rücklage

Skidrehen

Rücklage

Skidrehen

Der Könner

Wenn die Stufe der Anfänger die Grundschule des Skilaufs ist, dann ist die Stufe der Könner die »Hohe Schule« des Skilaufs. Hier werden dem sportlich interessierten Skiläufer sportliche Schwünge angeboten, die alle mehr oder weniger aus der Praxis des Rennlaufs stammen.

Das heißt . . .

für den Schüler:

Sie verlangen einen bewegungsbegabten, konditionsstarken Skiläufer. Der Effekt dieser verschiedenen Techniken beruht auf der **Geländeanpassung** sowie der Möglichkeit der **Tempoerhaltung** und **Tempobeschleunigung.** Die Erfahrung hat bewiesen, daß ihre Anwendung in schwierigem Gelände (Buckelpisten — eisige Pisten und Tiefschnee) das Schwingen wesentlich erleichtert. Die Hauptmerkmale dieser sportlichen Schwünge sind:

- Verzicht auf die Hochentlastung.
- Stockeinsatz als Stütze und Drehhilfe.
- Aktive und dynamische sportliche Ausführung.

- Beidbeinige und einbeinige Belastung.
- Bein- und Oberkörperbewegung müssen nicht so stark wie früher koordiniert werden.
- Mehr Freiheit in der Technik. (Natürlich ist die Perfektion dieser Schwünge stark abhängig von der Ski- und Schuhausrüstung.)

. . . für den Lehrer

Der »Lehrer« übernimmt mehr und mehr die Funktion eines »Trainers«, d. h. die methodischen Fähigkeiten des Lehrers verlieren an Bedeutung gegenüber der Eigenschaft des Trainers, Fehler erkennen und korrigieren zu können. Da die Technik dieser Stufe wesentlich differenzierter und individueller ist, ist eine große eigene Bewegungserfahrung Voraussetzung dafür.
Möglichkeiten zur Bewegungsbeurteilung und Korrektur:
Das Hauptmittel des Praktikers ist das sogenannte »Bewegungssehen«. Trainer mit der entsprechenden Bewegungserfahrung und Vorstellungsvermögen projizieren den »geistig« gegenwärtigen »idealen« Bewegungsablauf in die gerade vor ihnen ablaufende Bewegung. Dadurch sind sie in der Lage, die fehlerhaften Abweichungen zu sehen, zu beurteilen

und zu korrigieren. Zuerst konzentriert man sich dabei auf den Gesamteindruck, dann auf den Verlauf von Einzelbewegungen. Insgesamt sind drei Dinge zu beobachten:

- den Weg der Bewegung, d. h. Kontrolle fehlerhafter Abweichungen von der »Idealtechnik«.
- die Zeit der Bewegung, d. h. Kontrolle des Bewegungsrhythmus (Beschleunigung und Verzögerung).
- die Kräfte der Bewegung, d. h. Kontrolle, an welcher Stelle der Hauptkrafteinsatz erfolgte (zu früh oder zu spät).

Mit dem Erkennen von Fehlern ist jedoch noch nichts gewonnen. Entscheidend für die Korrektur ist, daß man erkennt, **wodurch** Fehler entstanden. Erst nach Beantwortung dieser Frage ist eine gezielte Korrektur möglich.
Schwerpunkt: Steigerung des Fahrkönnens durch Training von geländeangepaßten Schwüngen.

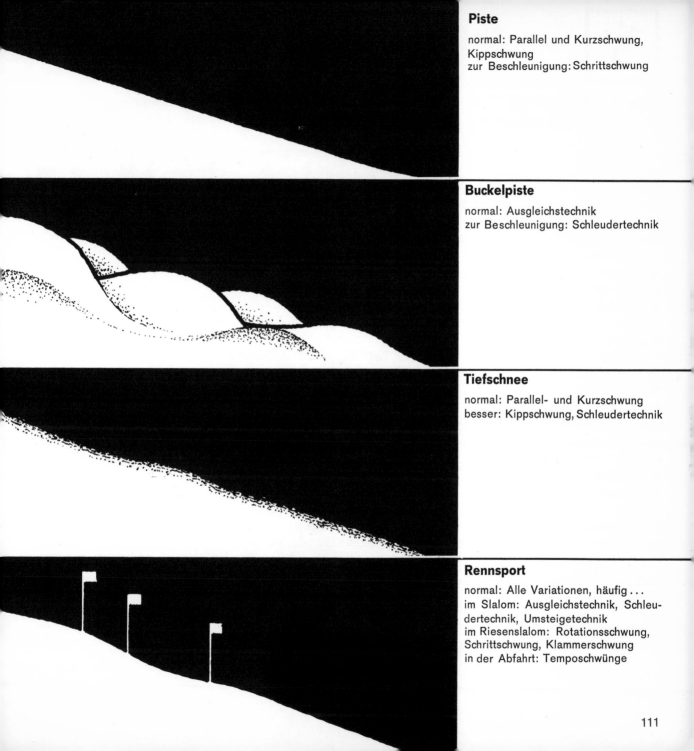

Piste

normal: Parallel und Kurzschwung,
Kippschwung
zur Beschleunigung: Schrittschwung

Buckelpiste

normal: Ausgleichstechnik
zur Beschleunigung: Schleudertechnik

Tiefschnee

normal: Parallel- und Kurzschwung
besser: Kippschwung, Schleudertechnik

Rennsport

normal: Alle Variationen, häufig...
im Slalom: Ausgleichstechnik, Schleudertechnik, Umsteigetechnik
im Riesenslalom: Rotationsschwung,
Schrittschwung, Klammerschwung
in der Abfahrt: Temposchwünge

Kipp- und Rotationsschwung

Technik

Bei hohem Tempo ist es zweckmäßig, einen übergangslosen, möglichst frühen Kantenwechsel zu vollziehen und vor allem eine ständige gleichmäßige Belastung der Ski zu haben. Dies ermöglicht ohne starke Entlastungsbewegung der sogenannte Kippschwung. Wie der Name bereits andeutet, wird dabei der Schwung »angekippt« und mit sparsamer Rotation »angedreht«. Die Bewegung des Ankippens gleicht dem »In die Kurve legen« des Motorradfahrers, d. h. der Oberkörper macht eine Vorausbewegung in die neue Richtung, die auf dem schwunginneren Stock abgefangen wird. Der bogenäußere Arm unterstützt die Drehung durch »Mitdrehen« während des Schwunges. Die Schwungsteuerung erfolgt mit beidbeiniger Skibelastung nahezu in gestreckter Innenlage oder in der bekannten Beinspieltechnik mit Hangaußenlage.

Diese Technik ist relativ erholsam bei langen Schwüngen in flacherem oder mittelsteilem Gelände (oder im Riesenslalom bei weit gesteckten Toren), man nennt sie deshalb auch »Faulenzertechnik«. Sie garantiert eine besonders dynamische Führung und Steuerung der Ski bei hohem Tempo. Der **Rotationsschwung** stellt eine Steigerung des Kippschwungs dar.

Wichtig: Der Kippschwung kann mit und ohne Hochentlastung gefahren werden.

Das »Ankippen« darf nicht zum »Überdrehen« des Schwunges führen.

Der Kantenwechsel soll nicht ruckartig erfolgen.

Diese Schwünge gelingen nur bei einer gewissen Geschwindigkeit und sollen auch nur dann angewendet werden. Deshalb nicht in »Zeitlupentempo« fahren.

Gelände und Schnee

Flacher bis mittelsteiler Hang, gute Piste, auch im Tiefschnee versuchen.

Training im Schnee

- Am besten ist es, man versucht zuerst aufrechte Parallelschwünge mit mittlerem Radius zu fahren, wobei man die Hoch-Tief-Bewegung wegläßt.
- Aus der Schußfahrt in den Schwung hineinkippen (Innenlage), lang auf der Kante aussteuern.
- Aneinanderreihung mehrerer Kippschwünge mit bewußter Temposteigerung auf der Piste und im Tiefschnee.

Training zuhause

Diese Technik läßt sich zuhause nicht so gut »imitieren«. Als Training eignet sich lediglich ein betont passives Springen vorwärts und seitwärts (ohne ausgeprägte Hoch-Tief-Bewegung) mit ruhigem Oberkörper.

»Kipp-Springen« in gleichmäßiger Beugestellung der
Beine und mit ruhigem
Oberkörper
Möglichst geringer Bewe-
gungsaufwand: »Faulenzer-
technik«

Kippschwung

Aufrechte Anfahrt

Ankippen des Schwunges

Mitdrehen des
Außenarms

Innenlage

Aufrechte Schwungsteuerung

Ausgleichstechnik

Technik

Die traditionelle Parallelschwungtechnik mit der ausgeprägten Tief-Hoch-Tief-Bewegung hat sich beim Befahren von Buckelpisten nicht als besonders vorteilhaft erwiesen. Lediglich bei langsamem Tempo läßt sie sich noch anwenden. Bei größerer Geschwindigkeit verliert man bei dieser Technik den Kontakt zum Boden, kommt aus dem Rhythmus; bei schnellem Tempo macht man unwillkürlich unkontrollierte Geländesprünge. Wer in starken Buckelpisten noch **»geländeangepaßt«** fahren will, sollte die sogenannte Ausgleichstechnik beherrschen. Diese Technik beruht auf dem vorschriftsmäßigen Befahren von Bodenwellen, d. h. die Beine übernehmen beim Überfahren der Buckel die Funktion von Stoßdämpfern. Der Bewegungsablauf ist genau umgekehrt wie beim Parallelschwung. Bei der Ausgleichstechnik fährt man in relativ aufrechter Körperstellung mit beidbeiniger Skibelastung an. Die Entlastung und Drehung wird eingeleitet durch ein plötzliches Tiefgehen (Absitzen) und einen seitlich stützenden Stockeinsatz. Nach der Tiefentlastung (Siehe Seite 14) er-

folgt eine aktive Streckung der Beine mit einem gleichzeitigen Vorwärts-Seitwärts-Schieben der Ski zur Schwungsteuerung. Die Streckung der Beine muß aber im Gegensatz zum Parallelschwung nach unten gerichtet sein (Kantenbelastung). Sie ähnelt deshalb mehr einem »Treten«, um ständig Bodenkontakt zu halten, vor allem in Mulden. In aufrechter Fahrstellung mit Innenlage wird der Schwung zu Ende gesteuert. Man kennt in der Praxis zwei Formen:

- die passive Form, wobei man sich die Beine vor dem Körper (größere Beugemöglichkeit) von den Buckeln hochschlagen läßt,
- die aktive Form, wobei der Skiläufer aktiv die Knie vor dem Körper anhockt bei gleichzeitigem Tiefgehen (Absitzen).

Wichtig: Anfahrt in relativ aufrechter Fahrstellung mit beidbeiniger Skibelastung (bessere Balance). »Schlucken« der Buckel durch aktives Beugen der Beine vor dem Körper (größerer Federweg als bei Knievorlage), kein Anfersen. Ruhiger, aufrechter Oberkörper. Sofort die Drehung beginnen, um die Tiefentlastung auszunützen. Seitlich stützender Stockeinsatz. Durchtreten der Beine nach unten. Ständig Bodenkontakt suchen. Die Buckel voll anfahren und genau auf den Buckeln drehen (wenn die Ski

nicht ganz, sondern nur in der Mitte aufliegen).

Gelände und Schnee

Mittelsteiles, aber buckliges Gelände, griffiger Schnee.

Training im Schnee

- In der Schußfahrt übt man zunächst das Rückkippen des Körpers bei gleichzeitigem Anhocken der Knie.
- Überfahren einer Kante oder eines Buckels in der Schußfahrt mit »Ausgleichen« des Geländes.
- Wie vorher, aber auf dem Buckel die Ski drehen. Bewegungsfolge: Tiefdrehen-Hoch-Aussteuern.
- Aneinanderreihung mehrerer Schwünge in buckl);m Gelände.
- Fahren in Buckeln bei höherem Tempo. Das energische Strecken der Beine nach unten ermöglicht die ständige »Bodenfühlung«.

Training zuhause

- Springen mit Anhocken und Strecken der Beine.
- Aus dem aufrechten Stand: »Umfallen« des Körpers nach hinten (Einnehmen einer Sitzstellung).
- Springen mit Anhocken und Drehen der Beine nach links und rechts. Betonung: Schnelles Anhocken, kein Anfersen, aufrechter Oberkörper. Arme in Seithalte.

Aufrechte Anfahrt

Tiefentlastung

Aktive Streckung der Beine

Aus dem Stand...

Anhocken der Beine...

und Drehen zum Stand

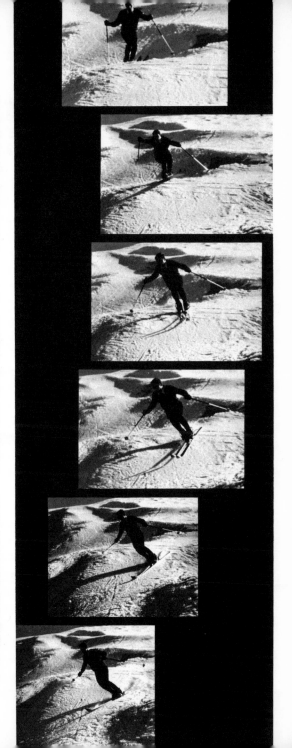

Schrittschwung

Technik

Der Schrittschwung ist uns als eine Art Umsteigeschwung — vor allem als Technik der Rennläufer — bekannt. Damit kann man bei höherem Tempo vermeiden, daß die Ski beim Schwung zu sehr quergestellt werden (was Bremsen verursacht) oder gar Wegrutschen. Beim Schrittschwung wird durch das schrittartige Auswinkeln des tal- bzw. bergseitigen Skis bei jedem Schwung Höhe gewonnen sowie eine Beschleunigung des Fahrtempos erzielt (durch den Abstoß vom Talski). Diese Technik stellt auch für den sportlichen Skiläufer eine durchaus nützliche Variante in Flachstücken dar. Der Schwung wird durch einen Schritt bergwärts, weg von der Fallinie eingeleitet. Während des »Umsteigens« auf den ausgewinkelten Ski erfolgt ein kraftvoller Abstoß vom schwungäußeren Ski (Tempobeschleunigung) und paralleles Beisetzen des Abstoß-Skis. Der Abstoß führt zu einer Streckung des Abstoßbeines bis zur Körperstreckung. Der darauffolgende zweite Teil des Schwunges ist ein gewöhnlicher Parallelschwung mit Innenlage und Fersenschub zum Aussteuern.

Wichtig: Schwungeinleitung durch gleitendes Auswinkeln bergwärts des unbelasteten Skis (Höhe gewinnen). Kräftiger Abstoß von der Kante aus starker Beugung und »Umsteigen« (Beschleunigen). Paralleles Beiziehen des anderen Skis und Umkanten.

Gelände und Schnee

Ideal am Anfang ist ein fast ebenes Gelände, später mittelsteiler, griffiger Hang, eher hart als weich.

Training im Schnee

Zwei Dinge sind zunächst zu üben:
1. das Auswinkeln
2. der Abstoß.

■ Als Vorübungen eignen sich am besten der Schlittschuhschritt und das Bogentreten aus der Fallinie (Schulung des scherenförmigen Auswinkelns und des Abstoßes) im flachen Gelände.

■ Darauf beginnt man mit einem Schrittschwung aus der Anfahrt in der Fallinie, nach links und rechts einzeln üben.

■ Die Anfahrt wird dann schrittweise immer mehr in Schrägfahrtrichtung gelegt. Dadurch vergrößert sich automatisch der Schwungradius.

■ Aneinanderreihung mehrerer Schrittschwünge in flachem Gelände mit bewußter Tempobeschleunigung. Die Ski richtig gleiten lassen.

■ Schrittschwünge mit kräftiger Streckung des schwungäußeren Beines.

■ Schrittschwünge, auch durch Tore fahren (Riesenslalomtraining).

Eine kurze und schnelle Variation des Schrittschwunges im Slalom ist der sogenannte **Scherschwung.** Er ist die am häufigsten angewendete Technik des Rennläufers. Dabei wird der Innenski ab der Fallinie immer ausgeschert und stärker belastet. Der andere Ski wird schwunghaft beigesetzt und dann sofort wieder umsteigen.

Training zuhause

■ Das Abstoßen und Umsteigen läßt sich am besten durch Schlittschuhschrittspringen aus ziemlich gebeugter Körperstellung trainieren.

Schritt bergwärts

Kraftvoller Abstoß bis zur Körperstreckung

Schrittschwung

Tiefe Abstoßstellung

Paralleles Beisetzen des Abstoßskis

Klammerschwung

Technik

Auf harten, eisigen Pisten kommt man
beim Schwingen sehr leicht ins Rutschen. Man verliert schnell an Höhe,
schlimmstenfalls rutscht sogar der
Talski weg und man kann stürzen. Aus
der Praxis des Rennlaufs (Riesenslalom) hat sich eine Technik entwickelt, wie man solche »Ausrutscher«
korrigieren kann, nämlich mit Hilfe
des Klammerschwungs. Aus aufrechter Anfahrt wird ein Klammerschwung
mit nach vorn geöffneten Skiern und
bewußter **Innenskibelastung** eingeleitet. Den Außenski läßt man einfach
unbelastet weglaufen, soweit bis man
ganz auf dem Innenski hockt, um sich
festzuklammern. Der Schwung wird
dann auf dem Innenski weiterge-
steuert. Gegen Ende des Schwunges
wird der Außenski beigeführt. Man
kann sich aufrichten oder eine bewußte Hock-Rücklagestellung einnehmen.
Wichtig: Scherenförmiges Öffnen und
Innenskibelastung am Schwung-
anfang. Der Außenski läuft unbelastet
auf der Kante weg. Einnehmen einer
tiefen Hockstellung, Arme vor dem
Körper. Schwunghaftes Beiführen des
Außenskis am Schwungende.

Gelände und Schnee

Mäßig steiler Hang, glatte Piste.

Training im Schnee

- Zunächst versucht man einen
  Klammerschwung: Aus der Schrägfahrt läßt man den Talski einfach
  seitlich weglaufen, man hockt sich
  total auf den Innenski. Am
  Schwungende dann den Außenski
  wieder beiführen und Aufrichten
  des Oberkörpers.
- Die Anfahrt solange immer steiler
  legen, bis man schließlich den
  Schwung auch über die Fallinie
  fahren kann.
- Aneinanderreihung mehrerer
  Klammerschwünge, vor allem auch
  auf eisigen Pisten üben.
- Klammerschwünge durch Tore fahren (Riesenslalomtraining).

Training zuhause

- Aus dem aufrechten Stand abwechselnd ein Bein ausstellen, in
  die Hocke gehen und wieder aufrichten mit Beistellen. Zuerst
  mehrmals nach einer Seite, dann
  abwechselnd nach links und rechts.
- In der »Klammerstellung« (tiefe
  Hocke) ohne Aufrichten, Üben des
  Belastungswechsels von einem
  Bein auf das andere. Wir versuchen dabei, mit dem Gesäß so
  tief wie möglich zu bleiben.
  Oberkörper aufrecht.

Aus dem aufrechten Stand:
ein Bein seitlich ausstellen und
in die tiefe Hocke gehen

Aufrichten zum Stand

Aufrechte Anfahrt

Zunehmende
Innenskibelastung

Klammerschwung

Außenski läuft unbelastet weg:
Klammern

Beiführen des Außenskis

Aufrichten

Innenskischwung

Technik

Gestern gehörten Innenskischwünge noch in das Repertoire von Ski-artisten, heute weiß man, daß fast alle guten Rennläufer manchmal im Wett-kampf (vor allem im Slalom) so man-chen Schwung auf dem im klassischen Sinne »falschen«, das heißt bogen-inneren Ski fahren.

Durch diese Schwungform wird in erster Linie die skitechnische Ge-schicklichkeit, das Kanten- und Gleichgewichtsgefühl gefördert. Und somit hat er auch seine Berechtigung im Trainingsprogramm aller sportlich interessierten Skiläufer. Es gibt meh-rere Schwungformen, die auf dem bogeninneren Ski gefahren werden. Einer der »schwungvollsten« ist der wechselseitige einbeinige Innenski-schwung.

Am besten fährt man bereits in der Schrägfahrt auf dem Innenski los, löst einen Schwung zum Hang aus, an dessen Ende man dann auf den anderen Ski umspringt. Dieser Ski und der ganze Körper müssen aber vorher bereits in die neue Richtung gedreht werden. Durch sofortiges Tiefgehen nach dem Wechselsprung wird erneut ein Schwung auf dem Innenski ausgelöst. Der Außenski wird völlig vom Schnee abgehoben. **Wichtig:** Jeder Schwung wird durch einen Wechselsprung von einem Innenski auf den anderen gefahren. Die Landung muß auf der Außen-kante erfolgen (wichtig für den Ab-stoß). Der Rhythmus ist wie beim Kurzschwung.

Gelände und Schnee

Zuerst flache Piste, später in jedem Gelände.

Training im Schnee

- Als Vorübung eignet sich zuerst der Schlittschuhschritt mit beton-tem Abstoß.
- Dann beginnt man, aus der Fahrt in der Fallinie einen Schwung auf dem Innenski zu fahren, wobei der äußere Ski bewußt vom Schnee abgehoben wird.
- Nun versucht man, aus der lang-samen Schußfahrt vorsichtig von einem Innenski auf den anderen zu springen.
- Mehrere Wechselsprünge werden rhythmisch aneinandergereiht.
- Durch bewußtes »Schlenzen« nach außen (des äußeren Unterschen-kels) wird die Drehung aktiviert. Dadurch entsteht gleichzeitig eine Art Hüftknick, der bei höherem Tempo zur Erhaltung des Gleich-gewichts notwendig ist.
- Innenskischwünge in allen Varia-tionen, mit wechselndem Radius und Tempo, und ohne Abheben des Außenskis fahren.

Training zuhause

- Springen abwechselnd auf einem Bein.
- Schlittschuhschrittspringen.
- In der Schußfahrtstellung versucht man, von einem Bein auf das andere zu springen. Die Beine pendeln dabei unter dem Körper durch, der Oberkörper bleibt möglichst ruhig, das jeweilige äußere Bein schwingt betont nach außen.
- Wechselspringen in verschiedener Beugestellung der Beine, mit kleinerem und größerem Sprung, nach vorwärts und rückwärts.

Innenskischwung

Wechselsprung   Wechselsprung
aufrecht   gebeugt

Schleudertechnik

Technik

Favorit unter den modernen Schwungformen ist der sogenannte »Schleuderschwung«. Allerdings den Schleuderschwung schlechthin gibt es nicht, sondern eigentlich eine Fülle von Schwungformen, die in Schleudertechnik ausgeführt werden können.
Die Technik stammt aus der Praxis des Rennlaufs und wird dort auch vor allem als **fahrtbeschleunigende** Technik von vielen angewandt.
Das Schwungprinzip dieser Technik läßt sich am einfachsten mit einem Vergleich demonstrieren:
Wenn man sich aus dem normalen Laufen plötzlich an einem Laternenpfahl festhält, wird man automatisch um diesen herumgeschleudert. Beim Skilaufen entsteht dieser Effekt durch den weit seitlich vom Körper (in Verlängerung der Schulterachse) eingesetzten Stock. Will man die Drehung noch verstärken, so kann man durch eine Art Rücklage zu Schwungbeginn (Absitzen) eine sehr plötzliche Entlastung der Skispitzen erzielen. Dadurch entsteht eine Drehung um die Skienden (Hinausschießen der Spitzen im buckligen Gelände über die Buckel). Durch aktives Vorschie-

ben der Unterschenkel in Schwungrichtung entsteht eine zusätzliche Fahrtbeschleunigung (Jet-Bewegung). Der Oberkörper kürzt hierbei den Weg der Ski durch eine entsprechende Innenlage des Körpers während des Schwunges ab (am Schwungende mehr Innenskibelastung).
Wichtig: Starke Rücklage zu Beginn der Drehung (Sitzstellung).
Kräftige Stockstütze seitlich als Drehachse, Innenlage des Körpers, Drehpunkt der Ski zwischen Bindung und Skiende.
Einleitend beidbeinige Belastung, zum Schwungende mehr Innenskibelastung.
»Jet-Bewegung« der Beine (Vorschleudern der Unterschenkel).
Der Schleuderschwung setzt hohes Fahrkönnen, viel Bewegungsgefühl und eine gute körperliche Kondition voraus. Durch den Schleudereffekt entsteht eine Beschleunigung der Drehung und des Tempos.

Gelände und Schnee

Mittelsteiles, buckliges Gelände, später auch im Tiefschnee fahren.

Training im Schnee

- Schwung zum Hang mit starkem talseitigem Stockeinsatz und Absitzen am Schwungende, bewußtes Drehen der Skispitzen talwärts.

- Aneinanderreihung mehrerer solcher Schwünge in der Schrägfahrt als Girlande.
- Aus der Schußfahrt (beidbeinige Skibelastung). Stockeinsatz bei gleichzeitigem Zurückkippen des Oberkörpers und Skidrehen (am besten unterstützt durch Schwungansatz auf einem Buckel).
- Aneinanderreihung solcher Schwünge in buckligem Gelände.
- Schleuderschwingen in jedem Gelände trainieren. (Als ganz ideal hat sie sich im Tiefschnee bewährt durch das starke Entlasten der Skispitzen.)
- Die Endform besteht nur noch aus einer dosierten Unterschenkelaktion (Jet-Bewegung).

Training zuhause

- Aufrechtes Springen mit bewußter Streckung aus den Unterschenkeln.
- Rückwärtsspringen mit Zurückkippen des Oberkörpers in leichter Hockstellung.
- Rückwärtsspringen in tiefer Hockstellung.
- In der »Eiform«: Springen mit gleichzeitigem Vorschleudern der Unterschenkel.
- Als spezielle Konditionsübung eignet sich: Gegenlehnen mit dem Rücken an eine Wand in Sitzstellung über eine längere Zeit.

Rücklage — Sitzstellung: Entlastung der Skispitzen

Kräftige Stockstütze als Drehhilfe

Schleudertechnik

Jet-Bewegung der Beine

Aussteuern mit Innenlage

In der »Eiform«: Springen mit Vorschleudern der Unterschenkel

»Umsteige-Schleudern«

»Klassisches Schleudern«

Der Rennläufer

Die artistische **Geschicklichkeit,** perfekte **Technik** und athletische **Kondition** lassen den Skirennsport zu einer spektakulären sportlichen Disziplin werden. Die Leistungen der alpinen Skirennläufer — in Slalom, Riesenslalom und Abfahrt — können auch nicht stark an dem Skisport interessierte Personen begeistern. Aber auch die Ausstrahlung auf den Normalskiläufer, ja, sogar auf die moderne Skitechnik allgemein, ist eminent groß.

Im Rennsport findet in jeder Hinsicht eine ständige Leistungsentwicklung statt. Deshalb gehen vom Rennsport auch immer wieder neue Impulse aus, und die Renntechnik läuft einfach der normalen Skitechnik davon.

Da sehr viele äußere Faktoren diese Sportart beeinflussen können, lassen sich nur schwer konkrete und immer gültige Zusammenhänge fixieren, denn es erscheint im Rennsport beinahe alles wichtig. Aus diesem Grunde sollen hier nur einige Grundsätze hervorgehoben werden:

■ Im Skirennlauf geht es nicht um »Schönheit«, sondern um zweckmäßige Beherrschung des Geländes in möglichst kurzer Zeit.

■ Material und Ausrüstung, Kondition, Technik, Taktik und Tempo stehen in direktem Zusammenhang miteinander. Äußere Faktoren wirken ebenso auf die Leistung ein.

■ Der Rennsport ist ein Einzelsport. Der Erfolg wird daher stark von der Persönlichkeitsentwicklung des einzelnen geprägt sein.

■ Die Erfahrung des einzelnen ist stets zu berücksichtigen, sie darf aber nie verallgemeinert werden.

■ Ein Rennläufer muß technisch vielseitig sein, muß alles können. Nicht die absolut beste Technik ist für den einzelnen maßgebend, sondern die dem Athleten individuell geeignete Technik (siehe auch Seite 18).

■ Das skiläuferische Können muß bereits im Jugendalter so perfektioniert sein, daß sich später ein allgemeines Techniktraining erübrigt.

■ Das spezielle Techniktraining beschäftigt sich mit dem Trainieren der verschiedensten Technikkombinationen unter Wettkampfbedingungen und dem Erwerben von Routine in der Meisterung unterschiedlichster Situationen.

■ Die spezielle Kondition spielt eine ungleich größere Rolle als beim Normalskiläufer für die Leistung.

■ Richtiges renntaktisches Verhalten und psychologische Beeinflussung sind vom modernen Skirennsport nicht wegzudenken. Die Grenzen der Leistungsfähigkeit werden durch die Veranlagung des einzelnen und den eigenen Leistungswillen gesetzt.

■ Ein Skirennläufer muß das ganze Jahr im Training sein.

■ Die Aufgabe und Funktion des Trainers ist nicht leicht, da er nicht immer in der Lage ist, jeden Rennläufer ständig zu kontrollieren. Psychologische Grundkenntnisse (Siehe Seite 22—24) und ein bißchen Einfühlungsvermögen werden vorausgesetzt.

■ Der Trainingsaufbau ist folgendermaßen:

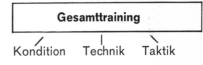

Slalom

Anforderungen

Der Slalom oder Torlauf ist eine Disziplin, die skitechnisch allerhöchste Leistungsfähigkeit innerhalb einer Zeit von ca. 50 bis 70 sec. pro Lauf verlangt. Voraussetzung für Spitzenleistungen ist eine große Reaktionsschnelligkeit.

Höhenunterschied:
180—220 m (Herren)
120—180 m (Damen)
Mindestens ¼ der Strecke muß eine Neigung von mehr als 30 Grad haben.
Torbreite: 3,20 m bis 4,00 m
Distanz zwischen zwei Toren:
mind. 0,75 m
Anzahl der Tore: 55—75 (Herren)
40—60 (Damen)
Ein Slalomtor besteht aus 2 festen, runden, gleichfarbigen Stangen (3—4 cm ⌀; 1,80 m aus dem Schnee herausragend) und einem gleichfarbigen Wimpel. Alle Tore werden in der Reihenfolge **blau, rot** und **gelb** gesetzt. Alle Tore müssen von oben nach unten markiert sein. Ein Slalom-Wettbewerb wird in 2 Läufen entschieden.

Training

Das Training des Rennläufers muß das ganze Jahr über systematisch und auf die bevorzugte Disziplin hin gezielt aufgebaut werden.
Nach der anstrengenden Skisaison soll zunächst eine längere Zeit der **Erholung** (Sommer) folgen, was aber keineswegs faulenzen bedeuten soll, sondern lediglich ein psychisches »Abschalten«. Während dieser Zeit empfiehlt es sich, die **allgemeine Kondition** nicht vollständig zu verlieren, indem man alle anderen möglichen Sportarten weiter betreibt, wie zum Beispiel Fußballspielen, Wasserskilaufen und vor allem Radfahren. Radfahren ist in der Art der Beanspruchung sehr verwandt mit dem Skilaufen (Kreislauf- und Muskelbeanspruchung). Im Herbst wird das Training dann wieder intensiviert und gezielt auf spezielle beim Skilauf besonders beanspruchte Muskelgruppen ausgerichtet. Dazu kommen Übungen für die Beweglichkeit, Koordination und Reaktion. Danach folgt ein erstes »Einfahren« auf Ski im freien Gelände. Nun muß die **spezielle Kondition** auf die Ski übertragen werden. Sobald es wieder etwas »läuft«, werden die ersten Stangen gesetzt — zunächst aber nur in Form eines natürlichen Riesenslaloms. Man gewöhnt sich wieder langsam an Stangen, Tempo und

Technik. Das **spezielle Slalomtraining** schließlich wird auf immer wieder neu gesteckten Läufen durchgeführt, die mit maximaler Geschwindigkeit und höchstem Einsatz durchfahren werden sollen. (Bremsen gibt es im Rennlauf nicht!) Das Fahren auf gespritzten **Eispisten** und das **Grubenfahren** erfordern ein besonderes Training. Alle nur möglichen skitechnischen Varianten (Vorlage — Rücklage, »Umsteigen«, »Schleudern«, »Scheren« usw., aber kein »Rutschen«) sollen in den verschiedensten Torkombinationen trainiert werden. Besonderer Wert sollte auf die Schulung des persönlichen **Rhythmus** jedes einzelnen Läufers sowie auf renntaktisches (defensives und offensives) Verhalten gelegt werden. Es wirkt sich außerdem günstig aus, dazwischen ab und zu freie Fahrten einzuschalten. Nicht zuletzt gehört zum Slalomtraining auch das **Kennenlernen** der Ideallinie zwischen den Toren und das **Merkenkönnen** von Torkombinationen. Spitzenrennläufer kommen heute auf ca. 400—800 Tore pro Trainingstag bei einer konkreten Trainingszeit von 8—15 Minuten.

Richtige Ausnützung des Geländes ist Voraussetzung für die »Linie« eines Slaloms. Trainer wie Rennläufer müssen die einzelnen Torfiguren genau studieren.

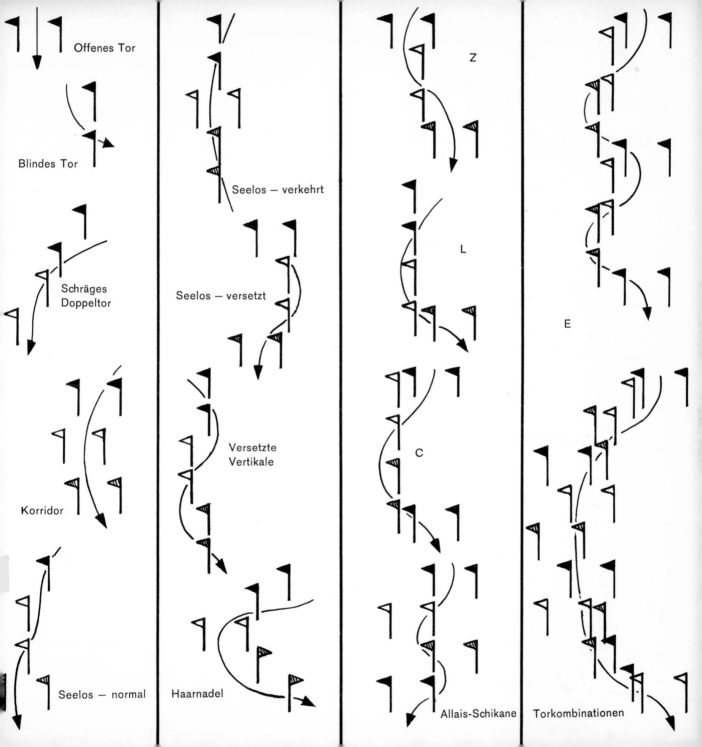

Offenes Tor

Blindes Tor

Schräges Doppeltor

Korridor

Seelos – normal

Seelos – verkehrt

Seelos – versetzt

Versetzte Vertikale

Haarnadel

Z

L

C

Allais-Schikane

E

Torkombinationen

1

Stilstudien

Drei Läuferinnen (Slalom) und Läufer (Riesenslalom) am jeweils gleichen Tor: Bei oberflächlicher Betrachtung verhalten sich alle relativ ähnlich. Ein Trainer aber kann mit Sicherheit feine Unterschiede feststellen.

Slalom

1 Starkes Aufspritzen des Schnees, d. h. Bremsen durch kräftigen Kanteneinsatz.

2 Relativ spätes Vorbringen des Stockes und Rücklage, die Läuferin ist in diesem Tor sehr schnell.

3 Augenblick des Stockeinsatzes: An der Haltung der Läuferin kann man erkennen, daß sie bereits einen neuen Schwung ansetzt.

2

3

Riesenslalom

1 Außergewöhnliche Innenlage des gesamten Körpers, starkes Kanten der Ski, der Läufer fährt sehr knapp an den Stangen vorbei.

2 Beidbeinige Skibelastung, wenig Kanteneinsatz, der Läufer wird abgetrieben.

3 Starke Rücklage, der Läufer versucht durch »Klammern« (Scherstellung der Ski) Höhe zu gewinnen.

Riesenslalom

Anforderungen

Der Riesenslalom oder Riesentorlauf ist eine Mischung aus Abfahrt und Slalom. Die Dauer der Beanspruchung liegt etwa zwischen 1½ und 2½ Min. Ein überdurchschnittlicher Riesenslalom-Spezialist muß viel Erfahrung besitzen und seine eigenen Fähigkeiten selbst gut einschätzen können.
Höhenunterschied:
400—600 m (Herren)
300—450 m (Damen)
Die Strecke muß mind. 30 m breit sein.
Torbreite: 4—8 m
Distanz zwischen zwei Toren: mind. 5 m
Anzahl der Tore: mind. 30 (einschl. Start und Ziel)
Als Torstangen verwendet man die üblichen Slalomstangen (pro Tor 4 Stangen). An zwei Stangen werden jeweils **rote** und **blaue** Tücher (75 cm breit, 50 cm hoch, unterer Rand 1 m vom Schnee entfernt) befestigt. Alle Tore müssen von oben nach unten numeriert sein.

Training

Während ein Slalomspezialist »explodieren« können muß, sollte ein Riesenslalomspezialist »schleichen« können. Keine der drei Disziplinen verlangt ein so hohes Maß an Ski- und Kantengefühl, Gleiten und exaktem Schwingen. Der allgemeine Trainingsrhythmus während eines Jahres unterscheidet sich fast nicht von dem des Slalomtrainings. In der Praxis ist es meist sogar so, daß Slalom- und Riesenslalom-Training abwechseln, um keine Trainingsmonotonie aufkommen zu lassen. Die Riesenslalomleistung hängt sehr vom **Stehvermögen** des einzelnen ab. Konditionell sollte das Training für den Riesenslalom deshalb besonders auf den Wechsel von **dynamischer** und **statischer** Muskelarbeit abgestimmt werden. Es treten häufig Situationen auf, wo z. B. eine haltende Arbeit der Muskulatur in eine beschleunigende umgewandelt werden muß (z. B. immer beim Wechsel von einer Richtungsänderung in eine neue).
Mit die wichtigste Aufgabe im Rennen selbst ist das sogenannte »Höhegewinnen« oder »Vermeiden von Abrutschen«. Immer sollte versucht werden, die Ski wenigstens zwischen den Toren möglichst in der Fallinie gleiten zu lassen. Die Bewegungen sollen fließend sein.

Die Technik des Riesenslaloms ist durch ein ständiges »**Umsteigen**« in den verschiedensten Variationen und Kombinationen gekennzeichnet. Höhe gewinnen kann man z. B. durch die Schrittschwungtechnik (siehe Seite 116).
Durch einen bewußten Abstoß kann dabei zusätzlich noch eine Beschleunigung erzielt werden. Abrutschen vermeiden kann man z. B. mit Hilfe des Klammerschwunges (siehe Seite 118).
Auch das Befahren von schlechten Pisten sollte im Training unbedingt öfters geschult werden. Das wird besonders Läufern mit hoher Startnummer zugute kommen.
Fein dosierte Tempokontrolle und kämpferische Härte geben oftmals bei leistungsmäßig ausgeglichenen Läufern den Ausschlag im Kampf um hundertstel Sekunden. Spitzenrennläufer befahren heute pro Trainingstag 300—500 Tore, was etwa 10—20 Minuten effektive Leistung erfordert.

Abfahrt

Anforderungen

Der Abfahrtslauf ist eine Geschwindigkeitsprüfung mit einem Durchschnittstempo von rund 100 km/Std. Die Streckenlänge ergibt eine Dauerbeanspruchung von ca. 2–3½ Min. Der physische und psychische Einsatz bei der Abfahrt geht teilweise bis an die Grenzen menschlicher Leistungsfähigkeit.
Höhenunterschied:
800–1000 m (Herren)
400– 700 m (Damen)
Markierung: Die Strecke wird mit Richtungsfähnchen und Pflichttoren markiert. 1. Richtungsfähnchen: Auf der linken Seite der Strecke werden rote, auf der rechten Seite grüne Richtungsfähnchen (im Sinne der Abfahrt) gesteckt. 2. Pflichttore: Ein Pflichttor besteht aus 2 Flaggen. Eine Flagge ist ein Tuch, das an zwei Stangen befestigt wird.

Herren:

Herrenabfahrtsstrecken werden mit roten Pflichttoren markiert (Flaggen 100 cm breit und 70 cm hoch).
Torbreite: Mindestens 8 m.

Damen:

Damenabfahrtsstrecken werden abwechselnd mit **roten** und **blauen** Pflichttoren gekennzeichnet.
Torbreite: Mindestens 8 m
Flaggen: 70 cm hoch und 100 cm breit.
Alle Teilnehmer müssen Sturzhelme tragen.

Training

Da ein Abfahrtsrennen stets mit einem hohen Sturzrisiko verbunden ist und damit mit Verletzungsgefahr, wird das Abfahrtstraining meistens nach dem Slalom- und Riesenslalom-Training durchgeführt. Der allgemeine Trainingsaufbau wurde bereits beim Slalom erwähnt und ist grundsätzlich dem anzugleichen.
Der Abfahrtslauf macht aber eine spezielle, konditionelle Vorbereitung notwendig, denn die ständige, vorwiegend statische »Haltearbeit« der Muskulatur in der tiefen Hocke führt sehr schnell zur Ermüdung der Bein- und Rumpfmuskulatur. Dazu kommt noch eine unregelmäßige Atmung (Preßatmung), teilweise sogar Atemstillstand in besonders kritischen Situationen. Die Folge davon sind mangelnde Sauerstoffversorgung und Pulsfrequenzen von über 200 Schlägen in der Minute.
Die **Kondition** wird also zur wichtigsten Eigenschaft des Abfahrtsläufers, denn wer am längsten in der »Eiform« bleiben und die Ski gleiten lassen kann, der wird meistens Sieger.
Der Schwerpunkt des konditionellen Trainings liegt also vorwiegend in statischer Muskelarbeit und der Ausbildung von Ausdauer (Kreislauf- und Muskelausdauer).
Aber auch ein Abfahrtsläufer sollte das **Techniktraining** nicht vernachlässigen. Es hat jedoch nur Sinn, wenn es unter Rennbedingungen durchgeführt werden kann (also mit Höchstgeschwindigkeit). Schußfahren — Springen — Schlucken von Bodenwellen und Kanten sowie Schwingen in höchstem Tempo müssen unbedingt trainiert werden. Das erfordert Konzentration im richtigen Augenblick, erst recht dann, wenn man Angst hat. Nur so kann das unglaubliche, artistische Gleichgewichtsvermögen im Renntempo erreicht werden, das die weltbesten Abfahrtsläufer immer wieder und in immer noch gesteigertem Maße demonstrieren.

Ein Abfahrtsläufer soll hohe Luftsprünge möglichst vermeiden. Bei hohem Tempo gelingt es nicht immer die Ski auf die Piste zu drücken, aber die tiefe Hockstellung wird beibehalten.

Die olympischen Pisten von Sapporo/Japan

Die folgenden Seiten möchten Sie darüber informieren, wie offizielle Skirennstrecken beschaffen sein müssen. Anläßlich einer Einladung Münchener Skilehrer nach Japan im letzten Winter hatte ich Gelegenheit, die olympischen Pisten von Sapporo persönlich zu testen.

Sapporo ist die Hauptstadt der nördlichsten japanischen Halbinsel Hokkaido und hat ca. 1 Million Einwohner. Im Monat Februar ist die Durchschnittstemperatur − 5° C und es gibt Schnee in Hülle und Fülle. Unmittelbar am Stadtrand von Sapporo tummeln sich bereits die Skiläufer und die olympischen Pisten sind — mit Ausnahme der Abfahrtsstrecken (etwa 30 km entfernt) — in einer halben Stunde vom Zentrum leicht zu erreichen.

Die ausgiebigen Schneefälle und das wechselhafte Wetter, das sehr vom Pazifik am anderen Stadtrand beeinflußt wird, werden voraussichtlich das größte Problem für die Organisatoren werden. Die Pisten jedoch sind phantastisch. Über alle Details können Sie sich anhand der folgenden Tabelle und Streckenprofile informieren.

Wettkämpfe		Höhe in m		Höhenuntersch. m	Streckenlänge m	max. Neigung	min. Neigung
		Start	Ziel				
Abfahrt	Herren	1120	356	764	2584	37°	17°12′
(Mt. Eniwa)	Damen	903,6	342,2	561,4	2104	35°	15°29′
Slalom	Herren	824,6	554,3	270,3	645	34°	24°46′
(Mt. Teine)	Damen	749,2	554,3	194,9	495	27°	23°11′
Riesenslalom (Mt. Teine)	Herren Kurs 1	945,3	532,7	412,6	1196	35°	20°11′
	Herren Kurs 2	945,3	532,7	412,6	1144	36°	21°08′
	Damen	986,1	620,6	365,5	1294	34°	16°24′

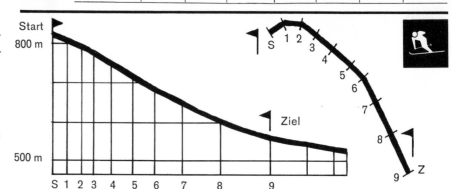

Streckenprofil Slalom Herren

Slalom Damen

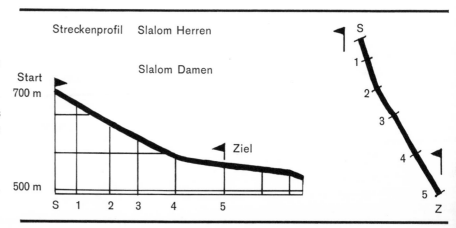

132

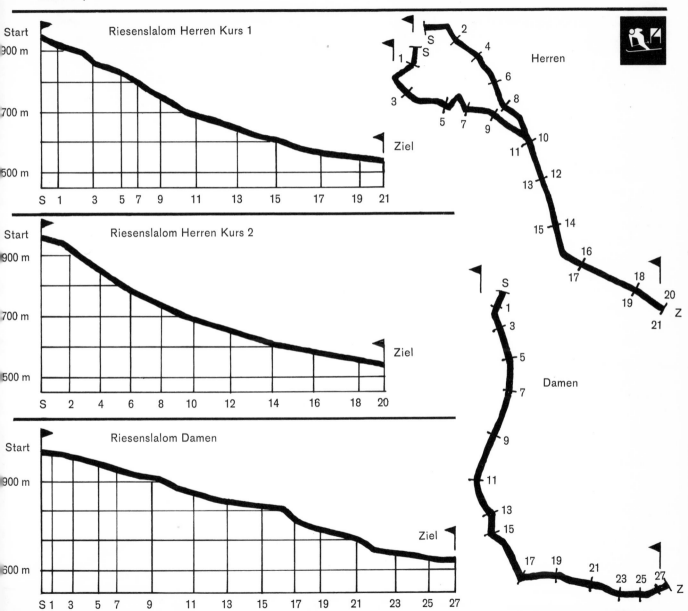

Riesenslalom Herren Kurs 1

Start
900 m
700 m
500 m
Ziel
S 1 3 5 7 9 11 13 15 17 19 21

Riesenslalom Herren Kurs 2

Start
900 m
700 m
500 m
Ziel
S 2 4 6 8 10 12 14 16 18 20

Riesenslalom Damen

Start
900 m
600 m
Ziel
S 1 3 5 7 9 11 13 15 17 19 21 23 25 27

Herren

Damen

Streckenprofil

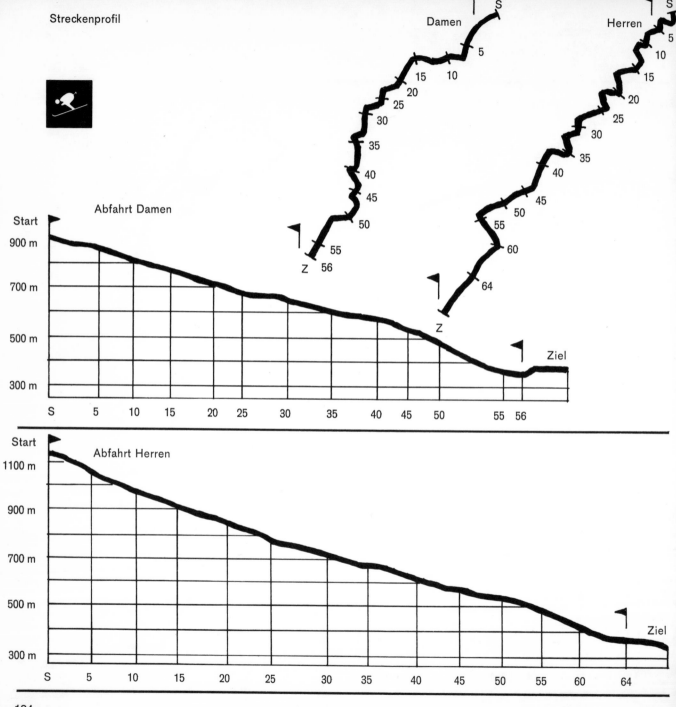

Damen

S
5
10
15
20
25
30
35
40
45
50
55
56
Z

Herren

S
5
10
15
20
25
30
35
40
45
50
55
60
64
Z

Abfahrt Damen

Start
900 m
700 m
500 m
300 m

Ziel

S 5 10 15 20 25 30 35 40 45 50 55 56

Abfahrt Herren

Start
1100 m
900 m
700 m
500 m
300 m

Ziel

S 5 10 15 20 25 30 35 40 45 50 55 60 64